Varför GÄSPAR *du*
när du blir sömnig?
(Se sid. 62)

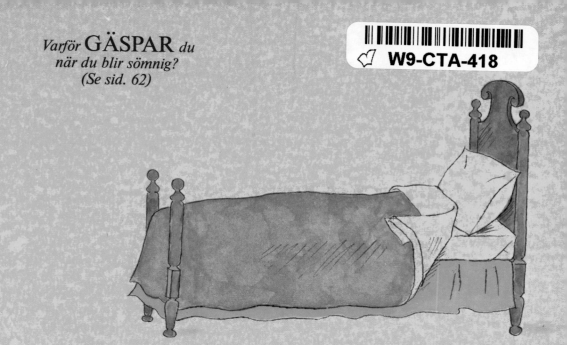

Var kommer tårarna ifrån
när du GRÅTER?
(Se sid. 67)

Det kittlar i näsan,
och så NYSER *du . . . varför?*
(Se sid. 43)

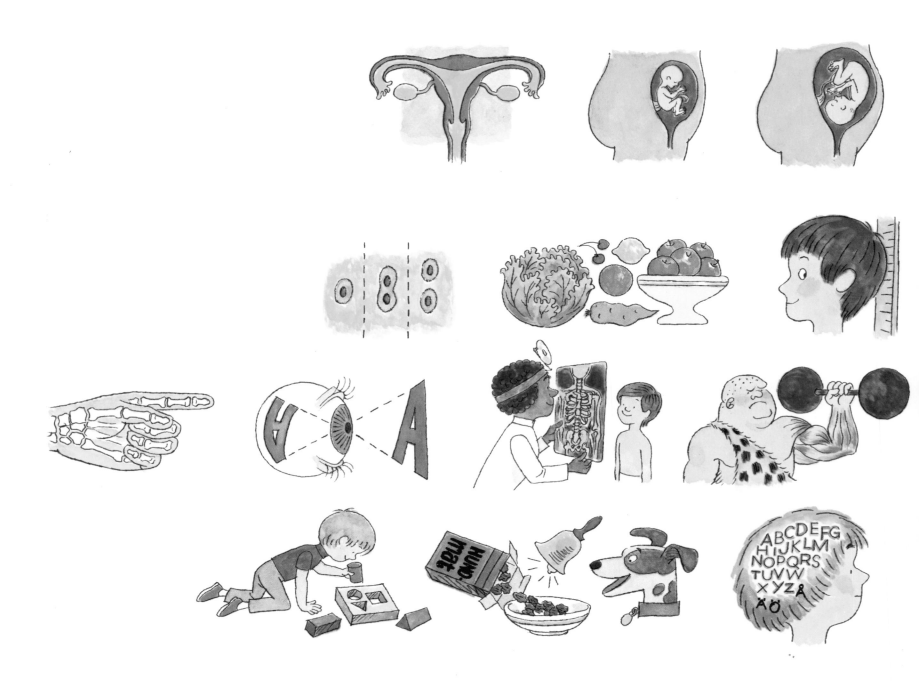

Originalets titel: HOW WE ARE BORN, HOW WE GROW, HOW OUR BODIES WORK, AND HOW WE LEARN
Copyright © 1975 by Western Publishing Company, Inc
All rights reserved
Svensk utgåva av Bonnier Bokförlag, Stockholm
Printed 2008 by Artes Graficas Toledo, S.A.U.
10:e upplagan
ISBN 10: 91-638-4087-1
ISBN: 13: 978-91-638-4087-6

www.bonniercarlsen.se

Så funkar du!

av Joe Kaufman

i samarbete med
MARSHALL KAUFMAN
New York University Medical Center

**ELLEN KAUFMAN och
ARTHUR KAUFMAN**
University of New Mexico School of Medicine Faculty

Svensk text: Birgitta Hammar

Bonnier*Carlsen*

INNEHÅLL

TILL FÖRÄLDRAR OCH ANDRA VUXNA: Den här boken vill ge barnen ett begrepp om hur deras kroppar fungerar – och hjälpa föräldrar och andra vuxna att besvara barnens många frågor. Den vill ge en första inblick i kroppens uppbyggnad och de olika kroppsdelarnas funktioner. Den är i första hand avsedd för barn mellan sex och tolv år, som här kan följa varje skede av sin uppväxt och få svar på många "hur" och "varför", men det är vår förhoppning att hela familjen ska få glädje av den genom att läsa den tillsammans och sen diskutera de upplysningar och kunskaper den ger.

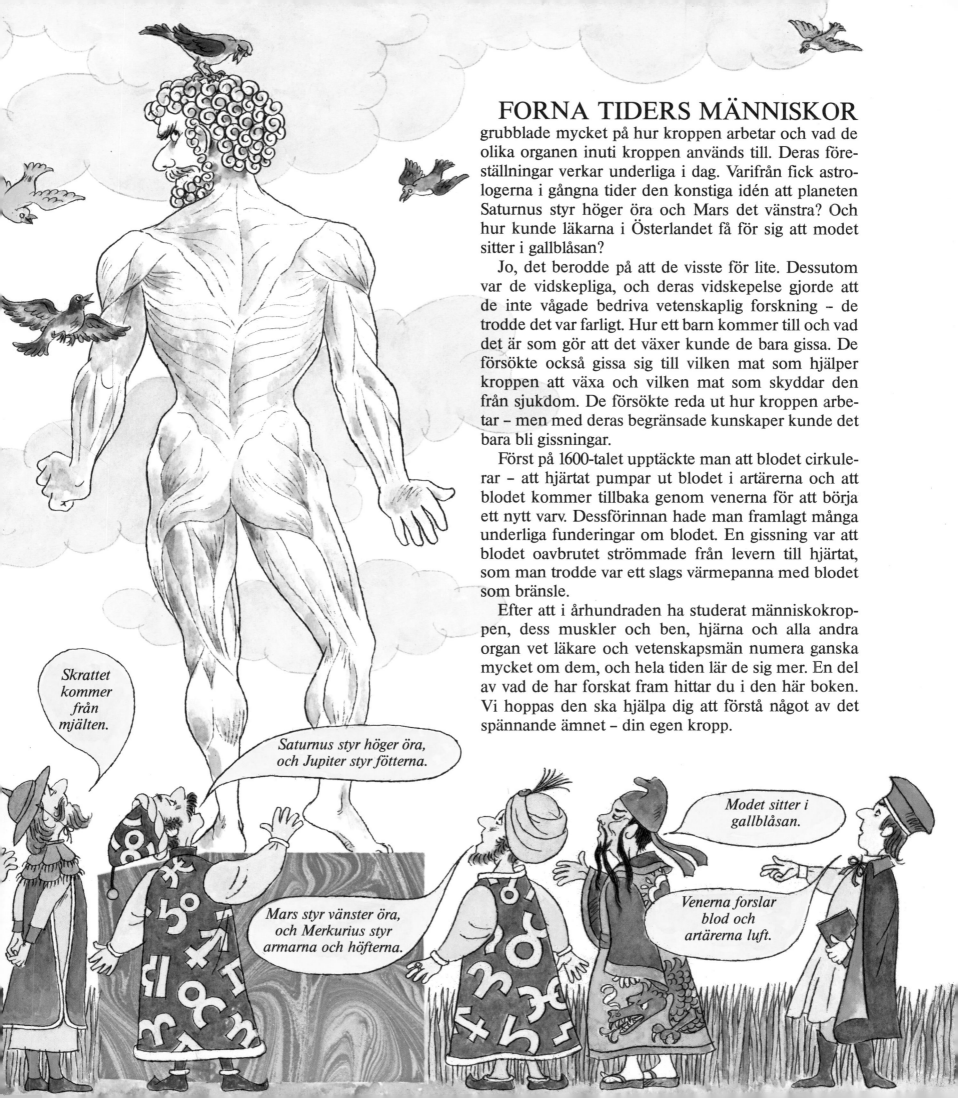

FORNA TIDERS MÄNNISKOR

grubblade mycket på hur kroppen arbetar och vad de olika organen inuti kroppen används till. Deras föreställningar verkar underliga i dag. Varifrån fick astrologerna i gångna tider den konstiga idén att planeten Saturnus styr höger öra och Mars det vänstra? Och hur kunde läkarna i Österlandet få för sig att modet sitter i gallblåsan?

Jo, det berodde på att de visste för lite. Dessutom var de vidskepliga, och deras vidskepelse gjorde att de inte vågade bedriva vetenskaplig forskning – de trodde det var farligt. Hur ett barn kommer till och vad det är som gör att det växer kunde de bara gissa. De försökte också gissa sig till vilken mat som hjälper kroppen att växa och vilken mat som skyddar den från sjukdom. De försökte reda ut hur kroppen arbetar – men med deras begränsade kunskaper kunde det bara bli gissningar.

Först på 1600-talet upptäckte man att blodet cirkulerar – att hjärtat pumpar ut blodet i artärerna och att blodet kommer tillbaka genom venerna för att börja ett nytt varv. Dessförinnan hade man framlagt många underliga funderingar om blodet. En gissning var att blodet oavbrutet strömmade från levern till hjärtat, som man trodde var ett slags värmepanna med blodet som bränsle.

Efter att i århundraden ha studerat människokroppen, dess muskler och ben, hjärna och alla andra organ vet läkare och vetenskapsmän numera ganska mycket om dem, och hela tiden lär de sig mer. En del av vad de har forskat fram hittar du i den här boken. Vi hoppas den ska hjälpa dig att förstå något av det spännande ämnet – din egen kropp.

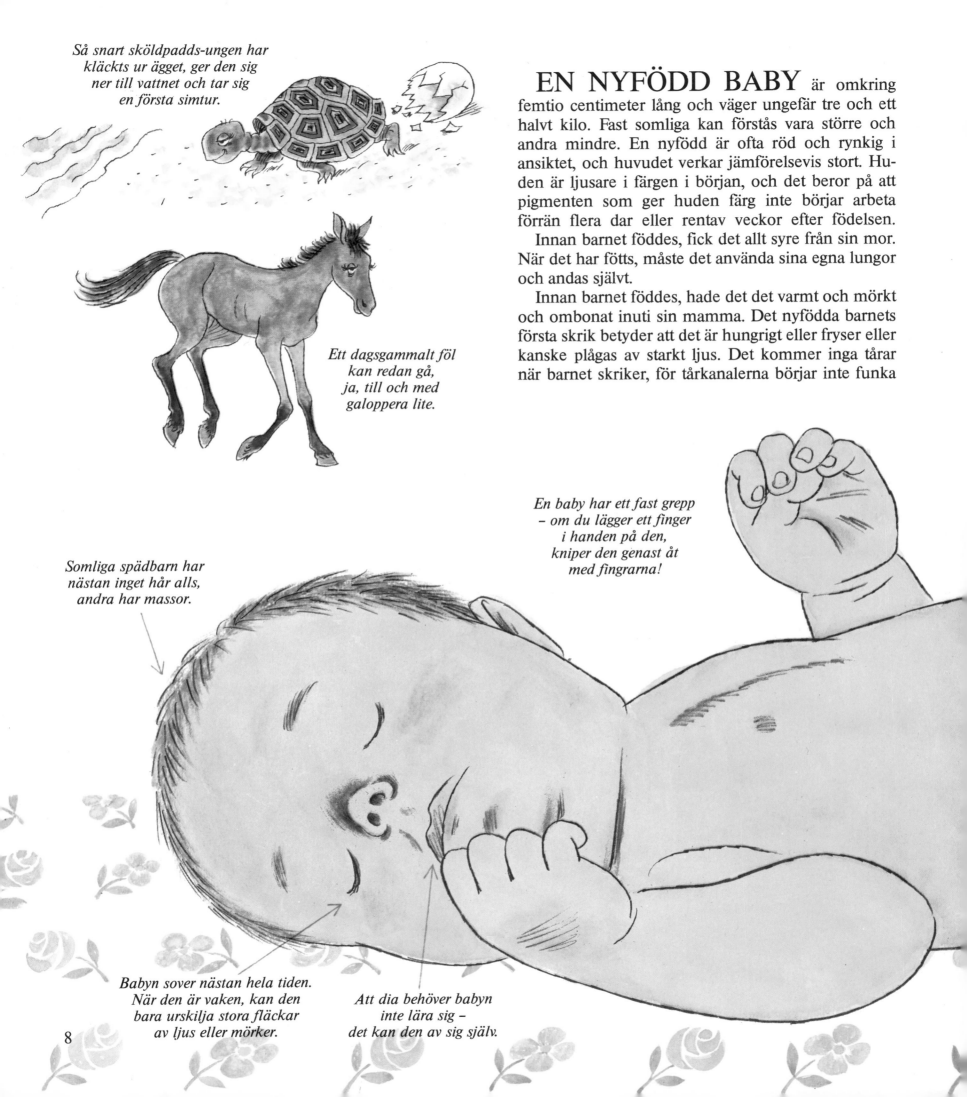

Så snart sköldpadds-ungen har kläckts ur ägget, ger den sig ner till vattnet och tar sig en första simtur.

Ett dagsgammalt föl kan redan gå, ja, till och med galoppera lite.

Somliga spädbarn har nästan inget hår alls, andra har massor.

EN NYFÖDD BABY är omkring femtio centimeter lång och väger ungefär tre och ett halvt kilo. Fast somliga kan förstås vara större och andra mindre. En nyfödd är ofta röd och rynkig i ansiktet, och huvudet verkar jämförelsevis stort. Huden är ljusare i färgen i början, och det beror på att pigmenten som ger huden färg inte börjar arbeta förrän flera dar eller rentav veckor efter födelsen.

Innan barnet föddes, fick det allt syre från sin mor. När det har fötts, måste det använda sina egna lungor och andas självt.

Innan barnet föddes, hade det det varmt och mörkt och ombonat inuti sin mamma. Det nyfödda barnets första skrik betyder att det är hungrigt eller fryser eller kanske plågas av starkt ljus. Det kommer inga tårar när barnet skriker, för tårkanalerna börjar inte funka

En baby har ett fast grepp – om du lägger ett finger i handen på den, kniper den genast åt med fingrarna!

Babyn sover nästan hela tiden. När den är vaken, kan den bara urskilja stora fläckar av ljus eller mörker.

Att dia behöver babyn inte lära sig – det kan den av sig själv.

8

förrän en eller ett par veckor efter födelsen. Öronen är tilltäppta, så de första dagarna hör barnet inte så bra. Ögonen fäster inte blicken – ibland vindar barnet. Det måste ha tid på sig innan det lär sig att använda ögonen och resten av kroppen med.

Men en sak kan barnet ända från födelsen: äta. Så fort man stoppar in mammans bröstvårta eller en flaska i munnen på barnet, börjar det genast suga. Det har också ett mycket fast grepp och skulle kunna hänga i händerna. Om man lägger babyn på magen sprattlar den precis som om den försökte simma. Och håller man den så att fötterna snuddar vid marken börjar den röra benen som om den försökte gå.

Det som babyn gör allra mest är sova; den sover 18 av dygnets 24 timmar. En nyfödd behöver massor med sömn för att växa.

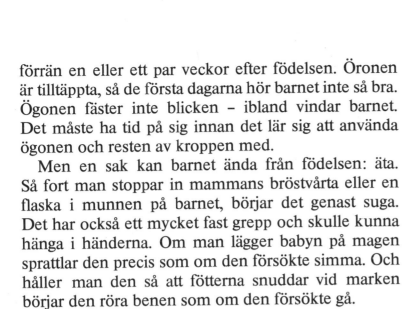

En nyfödd elefant kan redan första dagen gå ända upp till 5 kilometer med sin familj.

Naveln läks på omkring en vecka.

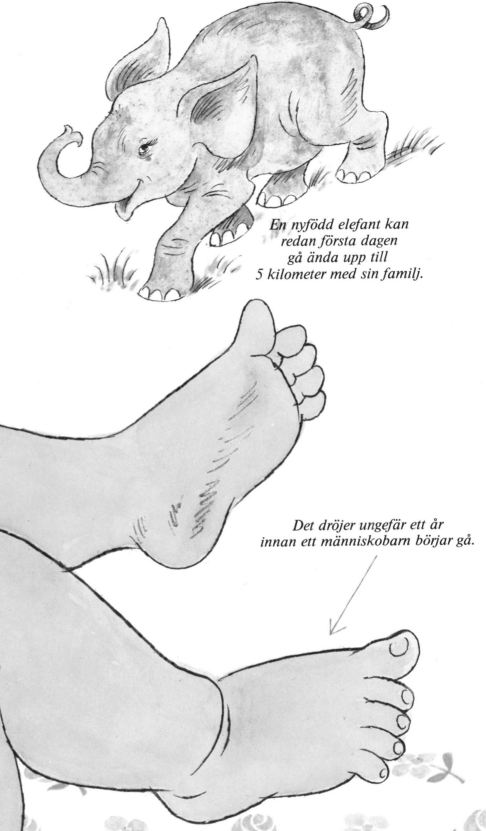

Det dröjer ungefär ett år innan ett människobarn börjar gå.

En nyfödd är ungefär så här stor.

En nyfödd känguru är bara två och en halv centimeter lång. I fyra månader sitter den fastsugen vid en spene i mammans pung.

ETT BARN KOMMER TILL

när en sädescell från pappan möter en äggcell från mamman. Sädescellen tränger in i äggcellen, och tillsammans bildar de en ny och annorlunda cell, delvis lik mammans och delvis lik pappans. Det är en befruktad cell, en cell som är färdig att växa ut till ett barn. En äggcell från ett djur (människan är också ett djur) kan bara befruktas av en sädescell från samma slags djur.

Ett fiskbarn kommer till så här: först letar honfisken upp ett skyddat ställe under vattnet, och där lägger hon massor av ägg. Sen simmar hanfisken över äggen och sprutar ut sperma (sädesceller) över dem. Sperman kommer ut genom en öppning nära hanfiskens stjärt. De små sädescellerna simmar ner till äggen och tränger in i dem. De befruktade äggen utvecklas till fiskyngel.

Hos många djurarter måste äggcellen stanna i moderns kropp, därför att den behöver skydd efter befruktningen. Sädescellerna från pappan måste utgjutas inne i mammans kropp för att hitta en äggcell att befrukta.

En ankunge kommer till när hanen hoppar upp på honans rygg. Då kommer hans sperma ut genom en öppning under stjärten på honom och går in i en öppning under honans stjärt. Sädescellerna simmar i väg mot honans äggceller. En befruktad äggcell utvecklas inuti ankmammans kropp till ett stort ankägg med en liten ankunge i. Så fort ankan har värpt, lägger hon sig på ägget för att hålla det varmt medan ankungen växer inuti det. Efter några veckor spricker ägget, och ut kommer ankungen.

För att sädescellerna hos en hankatt ska kunna nå honkattens äggceller sträcker hankatten ut sig över honkattens rygg, och hans penis blir hård så att den kan tränga in i hennes slida. Sädescellerna sprutar ut ur penis inne i slidan och simmar mot äggcellerna. Den befruktade äggcellen stannar i honkattens kropp omkring två månader och utvecklas där till färdiga kattungar.

Sädesceller sedda genom ett mikroskop –
de rör sig framåt genom att vifta på svansen.

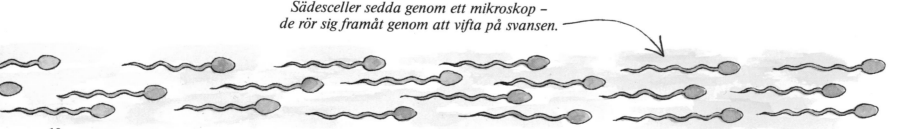

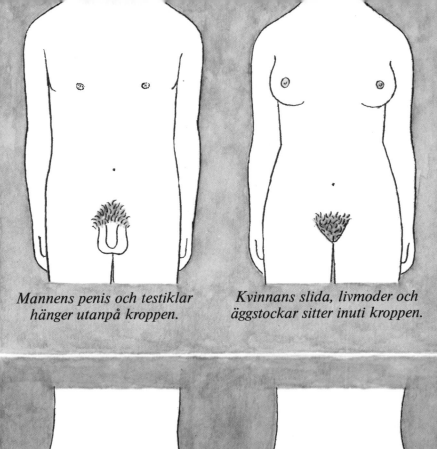

Mannens penis och testiklar hänger utanpå kroppen.

Kvinnans slida, livmoder och äggstockar sitter inuti kroppen.

Ett människobarn börjar ungefär som alla andra ungar – en sädescell från pappan måste befrukta en äggcell inuti mamman. I hennes två äggstockar ligger hundratals små äggceller lagrade. En gång i månaden lossnar en äggcell från en äggstock och går genom ett rör, som kallas äggledare, till livmodern. Om den inte blir befruktad på vägen, fortsätter den ut ur kroppen.

Sädescellerna uppstår i pappans testiklar. När pappan sticker in sin penis i mammans slida, går sädescellerna genom ett rör från testiklarna till hans penis och sprutar ut i mammans slida, och så börjar de leta efter en äggcell. Miljoner sädesceller möter äggcellen i äggledaren från äggstocken till livmodern. Men det behövs bara en sädescell för att befrukta äggcellen. Så snart äggcellen har befruktats, går den in i livmodern, där den stannar i nio månader. Under den tiden växer den ut till ett barn, färdigt att födas.

urinblåsa

penis

testikel

Så här ser mannens könsdelar ut inuti.

äggstock

livmoder

urinblåsa

slida

Och så här ser kvinnans könsdelar ut inuti.

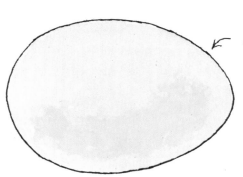

En kyckling kläcks ur ett så här stort, befruktat ägg.

Så här stort är ett människoägg.

·

En sädescell kan du inte se utan mikroskop.

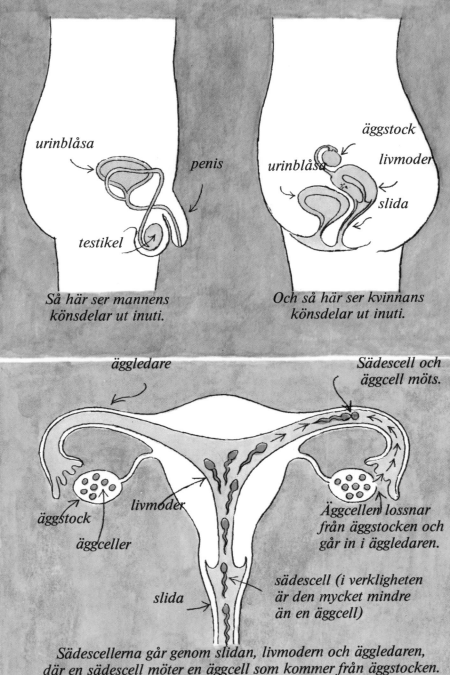

äggledare

Sädescell och äggcell möts.

äggstock

livmoder

äggceller

slida

sädescell (i verkligheten är den mycket mindre än en äggcell)

Äggcellen lossnar från äggstocken och går in i äggledaren.

Sädescellerna går genom slidan, livmodern och äggledaren, där en sädescell möter en äggcell som kommer från äggstocken.

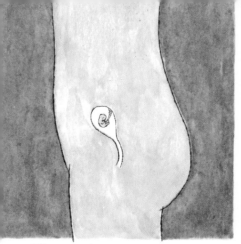

Första månaden – en halv centimeter lång, men den växer fort.

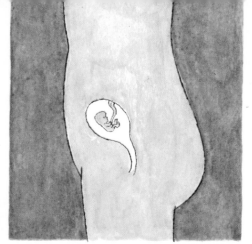

Andra månaden – bara 2½ centimeter lång, men nu börjar den likna en baby.

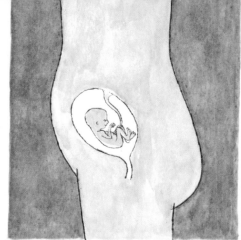

Tredje månaden – nu kan doktorn tydligt höra babyns hjärta slå.

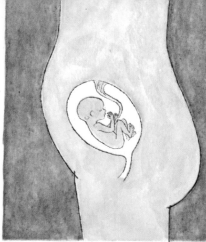

Fjärde månaden – nu kan mamman känna när babyn sprattlar och sparkar.

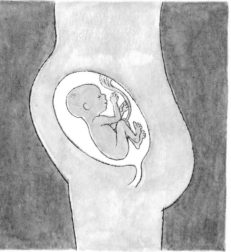

Femte månaden – babyn väger ett halvt kilo, och fingernaglarna börjar växa ut.

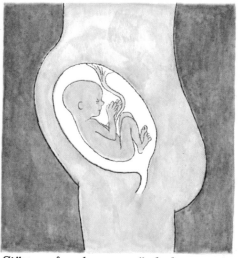

Sjätte månaden – nu är babyn trettio centimeter lång och väger ett kilo.

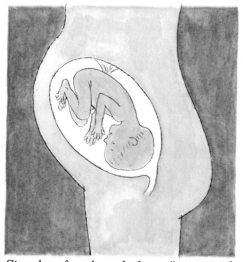

Sjunde månaden – babyn väger ett och ett halvt kilo och kan öppna och sluta ögonen.

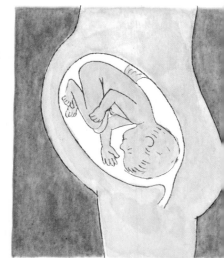

Åttonde månaden – den här månaden har babyn ökat ett kilo.

DET BLIVANDE BARNET

börjar som en enda cell, en befruktad äggcell så liten att den knappt syns. Den delar sig och blir två celler, de två cellerna blir fyra, och så fortsätter de att mångfaldigas tills de har bildat en liten klunga celler som kallas foster. Fostret ligger omslutet av moderns livmoder, och runt det utbildas en stark säck fylld med vätska för att skydda fostret. Inne i den varma säcken växer fostret snabbt. Sin föda får det från mammans kropp genom ett rör som kallas navelsträngen.

I andra månaden börjar fostret likna ett barn: små armar, ben, ögon och öron börjar utvecklas. Under tredje månaden börjar fostret röra sig.

Det växer fort – i slutet av fjärde månaden väger det omkring 230 gram och är tjugo centimeter långt. Tänder har börjat bildas inne i tandköttet, och det har fått några fjun på huvudet. Efter ännu en månad börjar benen hårdna, och fingernaglarna växer ut.

När sex månader har gått sparkar babyn livligt i mammans mage, ibland syns det till och med utanpå. Nu är den trettio centimeter lång och väger ett kilo. Och den har lärt sig något nytt – den kan blinka. I slutet av sjunde månaden väger den ett och ett halvt kilo, och den börjar lära sig att suga på tummen.

I åttonde månaden har barnet blivit så stort att det inte kan stanna i mammans mage mycket länge till. Mot slutet av månaden vänder det på sig så att det ligger med huvudet neråt.

I slutet av nionde månaden känner mamman att musklerna i livmodern börjar dra ihop sig runt barnet. Det är en spännande stund för henne och pappan – deras barn är på väg att födas. På sjukhuset får mamman hjälp med att föda av läkare och barnmorskor. Musklerna i livmodern drar ihop sig ännu mer och makar varsamt ut barnet ur livmodern genom slidan och ut i världen!

Nionde månaden – babyn är femtio centimeter lång och väger omkring tre och ett halvt kilo. Nu är den en färdig människa och kan leva i världen utanför. Den ligger med huvudet neråt, klar att födas.

13

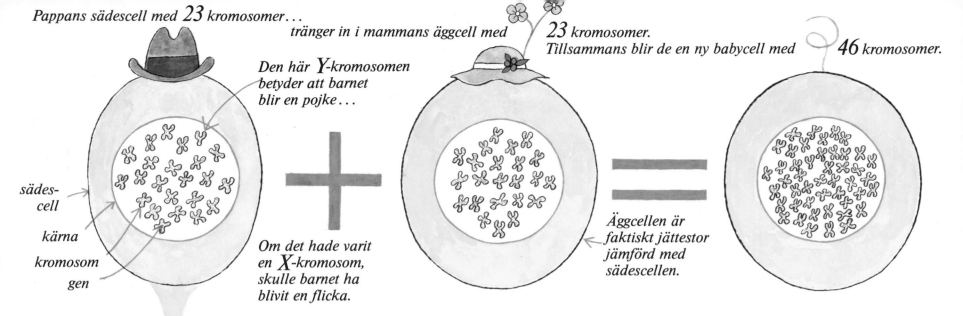

Pappans sädescell med 23 kromosomer...

tränger in i mammans äggcell med

*23 kromosomer.
Tillsammans blir de en ny babycell med*

46 kromosomer.

*Den här Y-kromosomen
betyder att barnet
blir en pojke...*

*sädes-
cell*

kärna

kromosom

gen

*Om det hade varit
en X-kromosom,
skulle barnet ha
blivit en flicka.*

*Äggcellen är
faktiskt jättestor
jämförd med
sädescellen.*

ANLAG ärver du av dina föräldrar, dina far- och morföräldrar, ja, kanske av förfäder ännu längre tillbaka. Du ärver färgen på ditt hår, dina ögon och din hud, formen på din näsa, ditt sätt att le. Utseende och läggning är ett arv, åtminstone delvis. Det finns förstås också annat som påverkar hur du kommer att se ut som vuxen och vad för slags människa du då blir. Maten du äter till exempel, den motion du får, vad du får lära dig och var du bor – allt detta spelar också in.

Det behövs miljoner celler för att bygga upp en människokropp, men allt du ärver bestäms helt och hållet av de båda första cellerna – sädescellen från din pappa och äggcellen från din mamma.

Varenda cell i din kropp bär miljoner gener inom sig. Det är generna som avgör hurdan du blir. De hänger ihop som pärlor på en tråd och bildar 46 halsbands- liknande kedjor som kallas kromosomer. De barnpro- ducerande cellerna – faderns sädesceller och moderns äggceller – är de enda celler som inte har 46 kromoso- mer, de har bara 23. När en sädescell tränger in i ägg- cellen, innehåller alltså den befruktade cellen, som de

bildar tillsammans, 23 par kromosomer, det vill säga 46 stycken, samma antal som alla andra celler i krop- pen. De 46 kromosomernas miljoner gener avgör vilka drag barnet ärver: det finns gener för näsform, gener för hårtyp och hårfärg, gener för ögonens färg och så vidare. Eftersom hälften kommer från fadern och häl- ten från modern, får det nya barnet några drag av fadern och några av modern. Och eftersom fadern och modern har fått *sina* gener av *sina* föräldrar, så ärver barnet förstås också drag av sina far- och morföräldrar.

Generna kan sättas ihop på så oändligt många sätt, att två barn aldrig blir exakt lika – du vet hur olika barn i samma familj kan vara. Enda gången det här inte stämmer är när enäggstvillingar föds. De kommer ur en enda befruktad äggcell som delar sig i två helt skilda befruktade celler, båda med samma gener inom sig. Var och en av dessa båda celler blir till ett barn. Och de här båda barnen blir så lika varann att det ibland kan vara svårt till och med för pappan och mamman att se skillnad på dem.

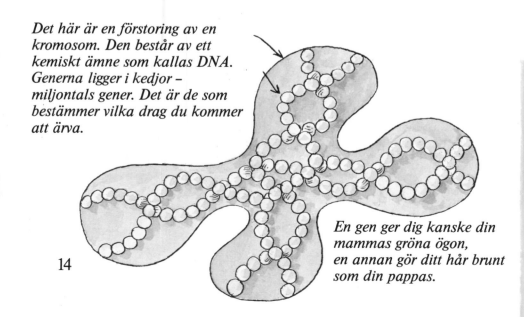

*Det här är en förstoring av en
kromosom. Den består av ett
kemiskt ämne som kallas DNA.
Generna ligger i kedjor –
miljontals gener. Det är de som
bestämmer vilka drag du kommer
att ärva.*

14

*En gen ger dig kanske din
mammas gröna ögon,
en annan gör ditt hår brunt
som din pappas.*

*De flesta tvillingar
kommer från två
sädesceller som
har förenat sig med
två äggceller.
De är inte mer
lika än vanliga
syskon. Men en-
äggstvillingar
kommer från en
befruktad äggcell
som delar sig
mitt itu – och så
blir det två exakt
likadana barn.*

Av dina föräldrar och far- och morföräldrar ärver du färgen på dina ögon, ditt leende, färgen på ditt hår, näsans form, fötternas och händernas storlek och många andra drag.

15

När hela broskskivan har hårdnat till ben, slutar benet att växa.

brosk-skiva →

Benens längd bestämmer din egen längd. Korta ben betyder att du är liten till växten. Långa ben betyder att du är lång. Medan du håller på att växa, finns ett mellanrum mellan själva benet och benspetsen. Det är fyllt av mjukt brosk. Alltefter-som nytt brosk tillkommer, hårdnar det gamla till ben och gör benet längre. När allt brosk har hård-nat till ben, slutar du att växa – du har nått din fullvuxna längd.

Vid 9 års ålder är armar och ben hos både flickor och pojkar längre i förhållande till deras kroppar – och ännu är det ingen större skillnad på flickor och pojkar.

ett barns ben →   ← en vuxens ben

Vid 6 års ålder är barn drygt 1 meter långa och väger mellan 20 och 25 kilo.

Vid 3 års ålder är barnet drygt 90 centimeter långt. Kroppen är fortfarande liten jämförd med huvudet.

Vid 1 års ålder väger barnet omkring tre gånger så mycket som när det föddes.

VÄXER är något vi alla gör, men var och en av oss växer på sitt sätt. En del av oss blir långa, andra blir kortare till växten. Somliga växer fort, andra växer långsamt. Några blir tjocka, och andra blir smala. Hur-dana vi blir beror på vad vi har ärvt för slags kropp av våra föräldrar, på vad vi äter och på hur vi sköter våra kroppar.

Men fast vi alla har vårt eget växt-mönster, så följer det i stort sett samma linjer som alla andras. En ny-

född baby väger omkring tre och ett halvt kilo och är ungefär femtio centimeter lång. Babyn växte fort före födelsen, och den fortsätter att växa fort den första tiden efteråt. Under de två första åren av sitt liv växer den fortare än den nånsin kommer att göra mer. Vid två års ålder väger den omkring fjorton kilo, fyra gång-er så mycket som vid födelsen. Om den fortsatte att växa i den takten och fyrdubblade sin vikt vartannat år, så skulle den väga över 3.500 kilo vid tio års ålder!

16

Vid 15 års ålder är pojkarna längre och tyngre än de flesta flickor. Flickornas bröst och höfter är fullt utvecklade, och pojkarna har blivit bredare över axlarna.

Vid 21 års ålder har de flesta människor slutat växa, och de flesta män är längre och tyngre än de flesta kvinnor.

Vid 12 års ålder är hälften av flickorna längre än genomsnittspojken. Hos en del flickor börjar brösten utvecklas.

Och om den växte lika snabbt som de båda första åren, så skulle den vara drygt sex meter lång på tioårsdan! Som tur är minskar tillväxt-farten när barnet har fyllt två.

Pojkar och flickor växer ungefär lika fort före tioårs-åldern. De är nästan lika långa, och deras kroppar ser nästan likadana ut. Vid tolv år är många flickor längre än många pojkar, deras bröst kan ha börjat utveckla sig, och deras höfter blir rundare. Men vid femton år

har de flesta pojkar vuxit i kapp och om flickorna, både på längden och i fråga om vikten. Nu är flickor-nas bröst och höfter fullt utvecklade, och pojkarna börjar få kraftiga muskler. Vid 21 års ålder är de flesta människor fullvuxna, männen vanligen något tyngre och längre än kvinnorna.

17

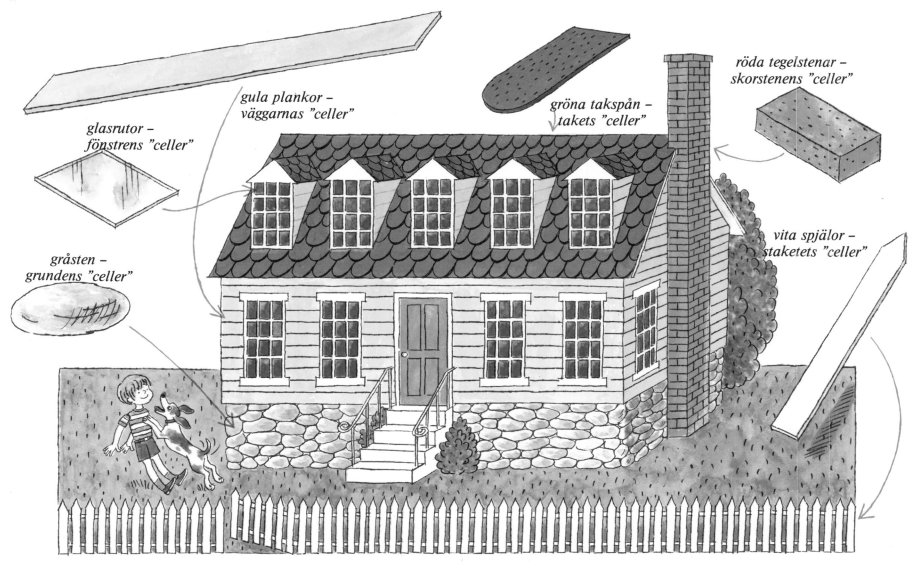

*glasrutor –
fönstrens "celler"*

*gula plankor –
väggarnas "celler"*

*gröna takspån –
takets "celler"*

*röda tegelstenar –
skorstenens "celler"*

*gråsten –
grundens "celler"*

*vita spjälor –
staketets "celler"*

Tänk dig ett hus som en kropp. Då ser du att byggnadsmaterialen kan liknas vid celler. Många tegelstenar blir till en skorsten, och massor av takspån bildar taket. På samma sätt blir många benceller till ett ben, och massor av hjärnceller bildar hjärnan.

CELLERNA är kroppens byggnadsmaterial. Ett hus byggs ju av en mängd olika material, av olika form och storlek. På samma sätt byggs din kropp av en mängd olika celler, av olika form och storlek och med olika uppgifter att sköta.

Din kropp består av miljarder celler. Det finns en massa olika sorter, men i några avseenden är de lika. Alla celler består huvudsakligen av vätska – de är som små små droppar, omgivna av en tunn hinna som kallas membran. All den näring cellen behöver för att leva och arbeta tränger in genom denna membran, och allt avfall tränger ut genom den.

Alla celler har en kärna i sin mitt. Det är den allra viktigaste delen av cellen, för i den finns cellens 46 kromosomer, och dem behöver cellen för att kunna skapa nya celler.

Det är tack vare cellerna du växer. Men det sker inte genom att cellerna växer själva utan genom att de delar sig i två nya celler, båda exakt lika den första cellen till storlek och utseende. Det är så det går till när ett barn växer upp från en enda befruktad äggcell och blir en fullvuxen person med miljarder celler. Cellerna fortsätter att dela sig och skapa nya celler även efter det att du har blivit fullvuxen, men då är det bara för att ersätta utslitna eller skadade celler.

Byggnadsmaterialen till ett hus sätts ihop till större enheter – planka staplas på planka för att bilda väggar, platta läggs till platta för att bilda golv, rör fogas till rör för att bilda ledningar för vatten och avlopp och så vidare. På samma sätt förenas cellerna i din kropp till större enheter som kallas vävnader. Muskelceller bildar muskler, benceller bildar ben, nervceller bildar nerver, hudceller bildar hud – till och med blodet är en vävnad, en flytande vävnad bestående av blodceller.

Alla vi människor består av celler av olika storlek, från små små hjärnceller till nära meterlånga nervceller. Cellerna är olika skapta, därför att de har olika uppgifter att sköta.

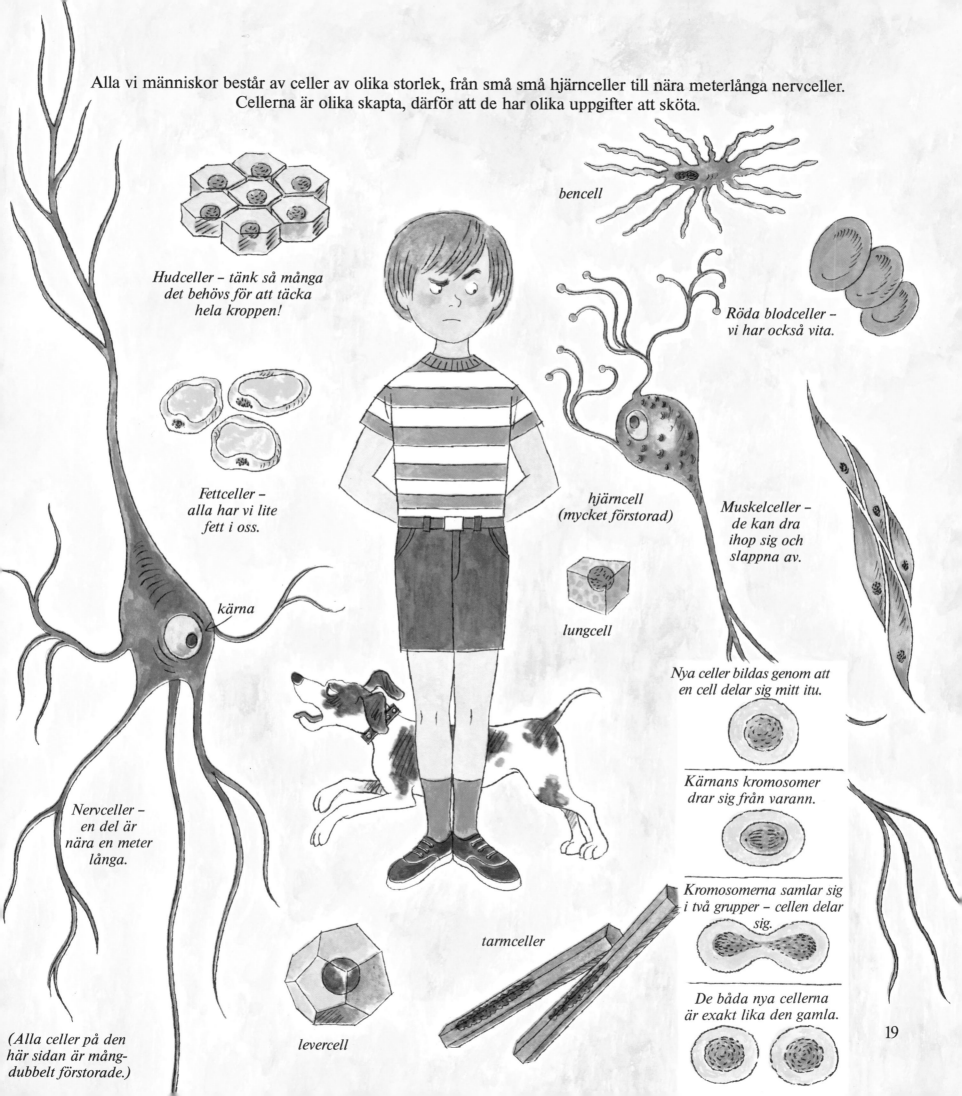

bencell

Hudceller – tänk så många det behövs för att täcka hela kroppen!

Röda blodceller – vi har också vita.

Fettceller – alla har vi lite fett i oss.

hjärncell (mycket förstorad)

Muskelceller – de kan dra ihop sig och slappna av.

kärna

lungcell

Nya celler bildas genom att en cell delar sig mitt itu.

Kärnans kromosomer drar sig från varann.

Nervceller – en del är nära en meter långa.

Kromosomerna samlar sig i två grupper – cellen delar sig.

tarmceller

De båda nya cellerna är exakt lika den gamla.

(Alla celler på den här sidan är mångdubbelt förstorade.)

levercell

19

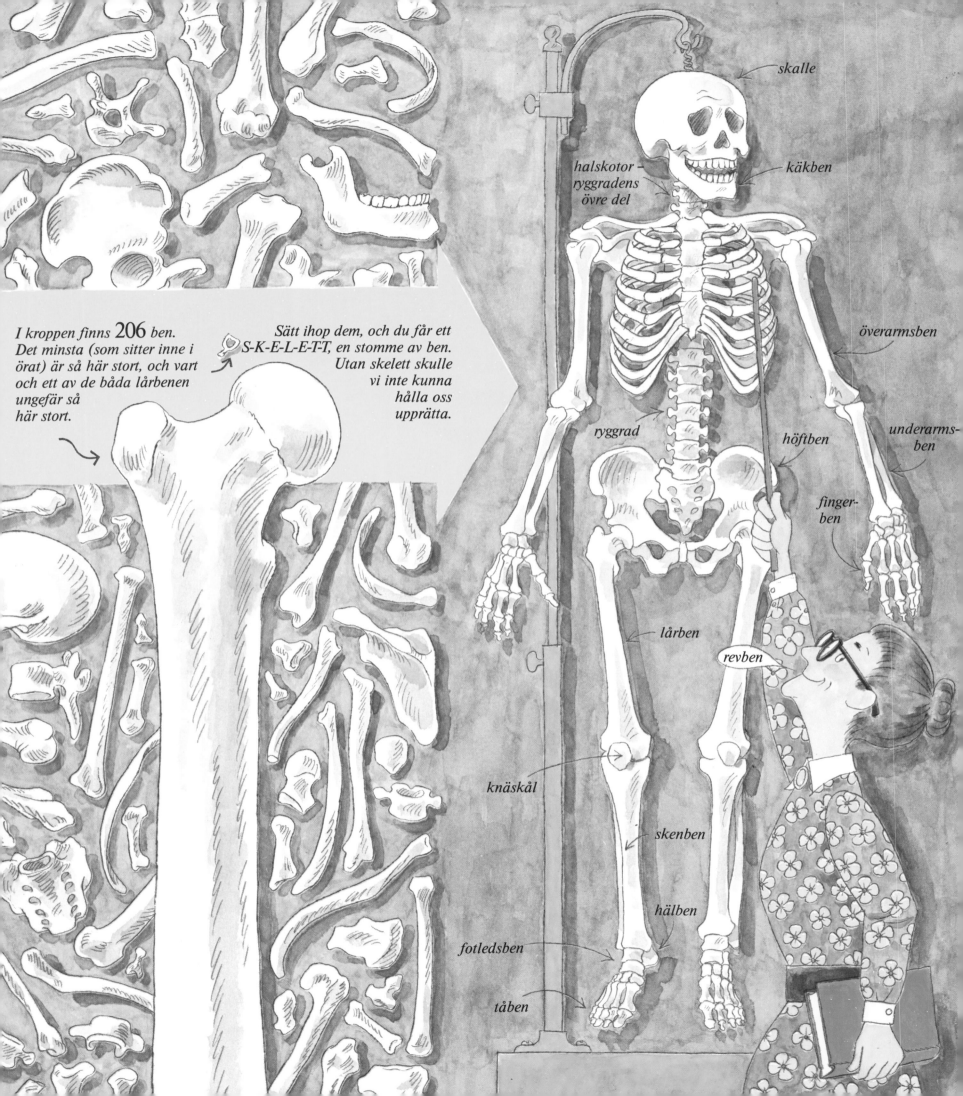

I kroppen finns **206** ben. Det minsta (som sitter inne i örat) är så här stort, och vart och ett av de båda lårbenen ungefär så här stort.

Sätt ihop dem, och du får ett S-K-E-L-E-T-T, en stomme av ben. Utan skelett skulle vi inte kunna hålla oss upprätta.

skalle

halskotor – ryggradens övre del

käkben

överarmsben

ryggrad

höftben

underarmsben

fingerben

lårben

revben

knäskål

skenben

hälben

fotledsben

tåben

Det är stommen som ger form och stadga åt hus, broar, skyskrapor, fartyg – och också åt din kropp.

Frihetsgudinnan i New York har ett "skelett" av stål.

Och här ser du henne med sin "hud" av koppar.

Det här är ett människo-skelett.

Simsalabim! – täckt av hud och kläder.

BENEN ger kroppen dess form; de är kroppens stomme. De bär upp kroppen och skyddar organen inuti den.

Det finns flera typer av ben – långa ben som till exempel i armar och ben, korta ben som till exempel i handleder och vrister, platta ben som till exempel revbenen, bröstbenet och skallbenen och knotiga ben som till exempel ryggkotorna. Alla ben är hårda utanpå och lite svampaktiga inuti.

Benen består huvudsakligen av två mineraler, kalk och fosfor; det är de som gör benen hårda. Men om benen bestod uteslutande av mineraler, skulle de bli sköra och lätt gå av, och därför finns det äggviteämnen i dem också, så att de fjädrar lite.

Benen är ihåliga, och håligheten är fylld med mjuk benmärg. Gul märg, som mest utgörs av fett, finns i mellanpartiet av de långa benen. I ändarna av de långa benen och i revbenen och en del andra platta ben finns röd märg. Det är i den röda märgen som de röda och de flesta vita blodkropparna bildas.

Trots att utsidan av ett ben verkar alldeles slät, finns det små öppningar i den, där blodkärl går ut och in. Blodet för bort utsliten benvävnad och kommer med ny näring för att hjälpa bencellerna att ersätta gammal vävnad.

En babys ben är inte färdigbildade när den föds. En del består fortfarande av mjukt, klart brosk. En nyfödd har inga hårda ben i handlederna. Vid två års ålder har den två färdiga handledsben, vid fem år fem. Först när barnet har fyllt tolv har alla åtta handledsbenen utvecklats till hårda, vita, färdigformade ben.

Skallen och bäckenet utvecklas på ett särskilt sätt: vid födelsen består de av många små fristående ben. Så småningom växer dessa små ben ihop, och både skallen och bäckenet blir ett enda ben.

Inte är väl ett skelett så hemskt egentligen?

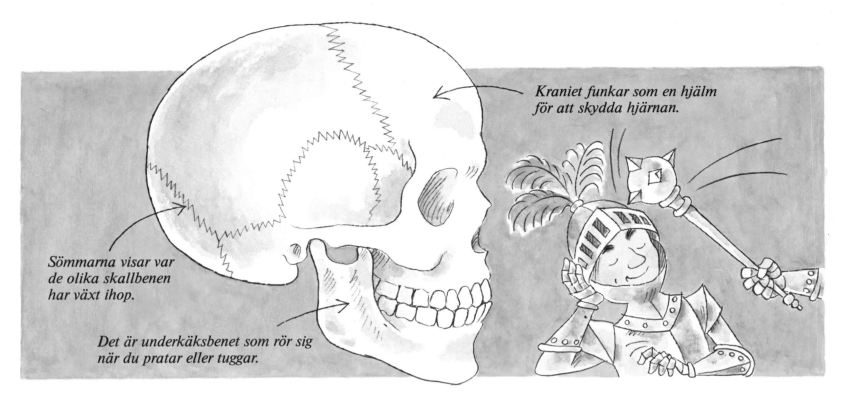

Kraniet funkar som en hjälm för att skydda hjärnan.

Sömmarna visar var de olika skallbenen har växt ihop.

Det är underkäksbenet som rör sig när du pratar eller tuggar.

SKALLEN sitter överst på ryggraden. Den består av tjugotvå ben. Skallens rundade övre och bakre delar, som kallas kraniet, bildar ett starkt ben-tak som skyddar hjärnan. Hos en baby har kraniets åtta ben inte vuxit ihop än. Det gör att skallen blir elastisk, så att babyns huvud får lättare att tränga ut genom mammans slida vid födelsen. Efter några år har benen vuxit ihop till ett enda fast och hårt ben.

Resten av skallbenen, ansiktsbenen, ger ansiktet dess form. Till ansiktsbenen hör kindbenen samt överkäks- och underkäksbenen, där tänderna har sina rötter. Det enda rörliga skallbenet är underkäksbenet. Det är upphängt så att det kan röra sig upp och ner och av och an när vi tuggar. I ansiktsbenen finns öppningar för näsa och ögon och förstås munnen, mellan de båda käkbenen.

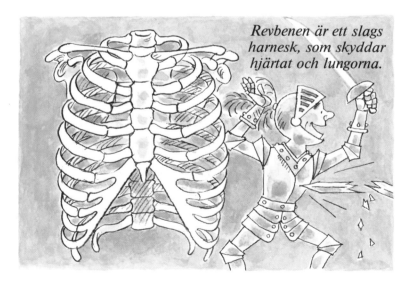

Revbenen är ett slags harnesk, som skyddar hjärtat och lungorna.

BÄCKENET utgörs av höftbenen och nedre delen av ryggraden. Det bildar liksom en skål som stöder och skyddar urinblåsan, nedre delen av tarmarna och några andra organ i botten på bukhålan. En kvinnas bäcken är något vidare än en mans för att barnet ska kunna passera vid födelsen. På ömse sidor av bäckenet finns en ledhåla, där lårbenens övre ändar passar in.

BRÖSTKORGEN bildas av revbenen och skyddar hjärta och lungor. Alla revben, tolv par, är löst fästa vid ryggraden. Framtill är de tio översta paren fästade vid bröstbenet med elastiskt brosk. De båda nedersta paren är korta och sitter inte fast vid bröstbenet. Tack vare att revbenen är löst fastsatta vid ryggraden och fästade med tänjbart brosk vid bröstbenet kan bröstkorgen vidgas och dras ihop när vi andas.

en mans höftben

En kvinnas höftben är vidare än mannens.

22

RYGGRADEN

är böjlig åt alla håll tack vare att den utgörs av en pelare av ben, ryggkotorna, som hålls fast vid varann av tjocka ledband. De sju översta kotorna kallas halskotor. Vid de tolv följande, bröstkotorna, är revbenen fästade. Sen kommer de fem ländkotorna och till sist kors- och svanskotorna, som består av flera sammanvuxna kotor.

Mellan kotorna sitter broskskivor. De fungerar som kuddar: de hindrar kotorna från att skava mot varann och skyddar hjärnan från skakningar när vi går eller springer.

Ryggkotorna är ihåliga på längden. Hålen ligger i rad nedanför varann och bildar en kanal genom ryggraden. Genom den kanalen går ryggmärgen, väl skyddad av kotorna.

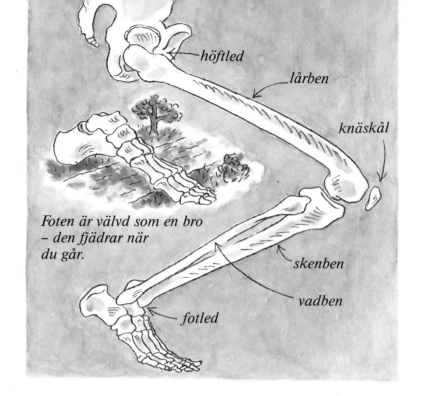

Foten är välvd som en bro – den fjädrar när du går.

höftled
lårben
knäskål
skenben
vadben
fotled

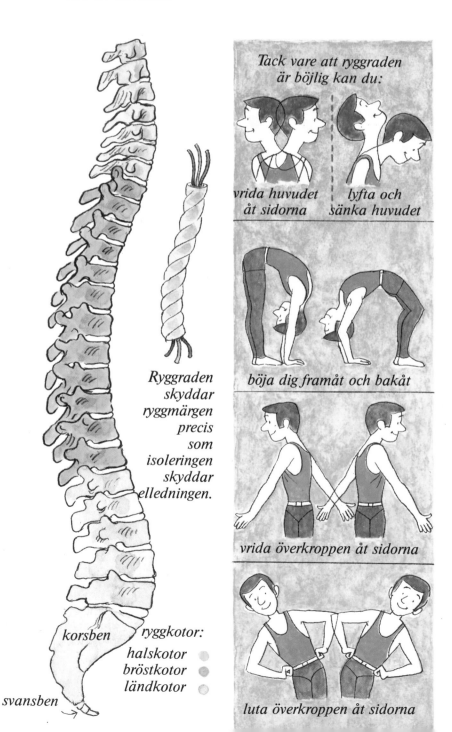

Ryggraden skyddar ryggmärgen precis som isoleringen skyddar elledningen.

korsben

ryggkotor:
halskotor ●
bröstkotor ●
ländkotor ●

svansben

Tack vare att ryggraden är böjlig kan du:

vrida huvudet åt sidorna

lyfta och sänka huvudet

böja dig framåt och bakåt

vrida överkroppen åt sidorna

luta överkroppen åt sidorna

BENENS BEN

är fästade vid kroppen i höftleden. Lårbenens kulformade övre ända passar in i ledhålorna på bäckenets sidor. Tack vare denna kulled kan benet röras åt alla håll. Lårbenet och benen i underbenet möts vid knäet i en gångjärnsled, som gör att benet kan pendla av och an. Knäskålen framtill skyddar knäleden. Benen i underbenet, vadbenet och skenbenet, är fästade vid foten i fotleden på ett sätt som gör foten rörlig åt alla håll.

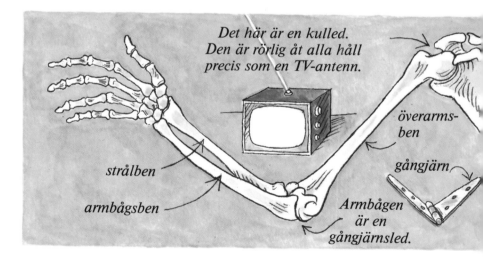

Det här är en kulled. Den är rörlig åt alla håll precis som en TV-antenn.

strålben
armbågsben
överarmsben
gångjärn

Armbågen är en gångjärnsled.

ARMBENEN

är fästade vid skulderbladet med en kulled. Överarmsbenet och underarmsbenen (armbågsbenet och strålbenet) förenas med en gångjärnsled i armbågen. Underarmsbenen kan vridas runt varann ett halvt varv. När du sträcker ut armen med handflatan uppåt, ligger benen sida vid sida. När du vänder handen, så att handflatan kommer neråt, vrids strålbenet så att det korsar armbågsbenet.

23

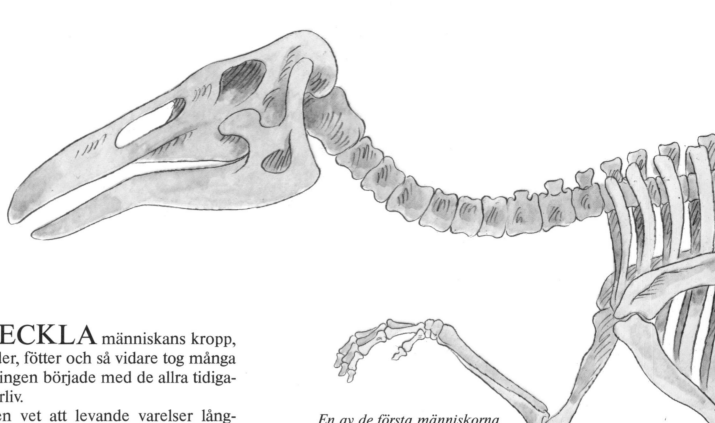

ATT UTVECKLA människans kropp, hennes hjärna, händer, fötter och så vidare tog många miljoner år. Utvecklingen började med de allra tidigaste formerna för djurliv.

Vetenskapsmännen vet att levande varelser långsamt förändras under tidernas lopp. De vet det, därför att de har hittat förstenade rester av djur, som levde för länge länge sen, i klippor och stenar. Dessa rester kallas fossiler, och ideligen träffar man på nya. Med hjälp av olika metoder kan vetenskapsmännen räkna ut hur gamla fossilerna är. Så får de reda på när djuren levde, när de dog ut och när andra djur utvecklades och efterträdde dem.

Det finns visserligen många frågor som ännu inte har fått något svar, men redan nu har vetenskapsmännen en ganska klar bild av hur livet på jorden har utvecklats. De vet att jorden en gång var täckt av vatten och att det fanns fisk i vattnet. När landet höjde sig, uppstod amfibier, det vill säga djur som kan leva både på land och i vatten. En del amfibier levde nästan jämt på land och återvände bara till vattnet när de skulle lägga ägg. Längre fram utvecklades reptilerna, de första landdjuren. Bland dem fanns de stora dinosaurierna eller skräcködlorna. Några reptiler överlevde, andra dog ut. Så kom fåglar och däggdjur. De var varmblodiga – deras kroppar höll samma temperatur oberoende av vädret.

Och till sist kom *vi* – människorna, det mest högtstående djuret hittills. Vår större och intelligentare hjärna får idéer. Våra skickliga händer utför idéerna. Tack vare vårt skelett, våra muskler och vår upprätta ställning klarar vi de svåraste uppgifter. Vi har tagit loven av alla andra varelser på jorden – om av ondo eller godo får framtiden utvisa.

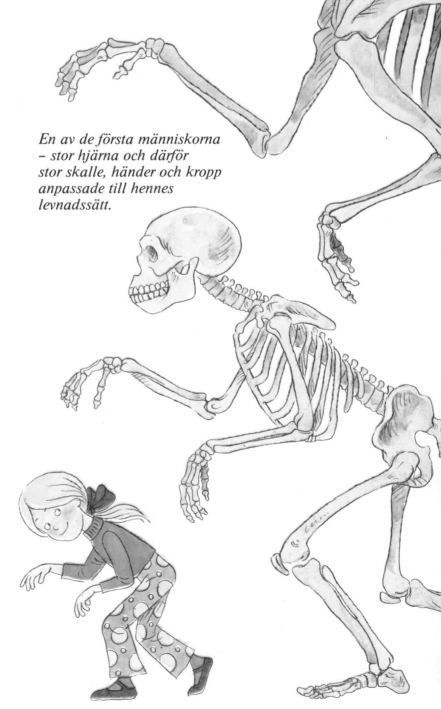

En av de första människorna – stor hjärna och därför stor skalle, händer och kropp anpassade till hennes levnadssätt.

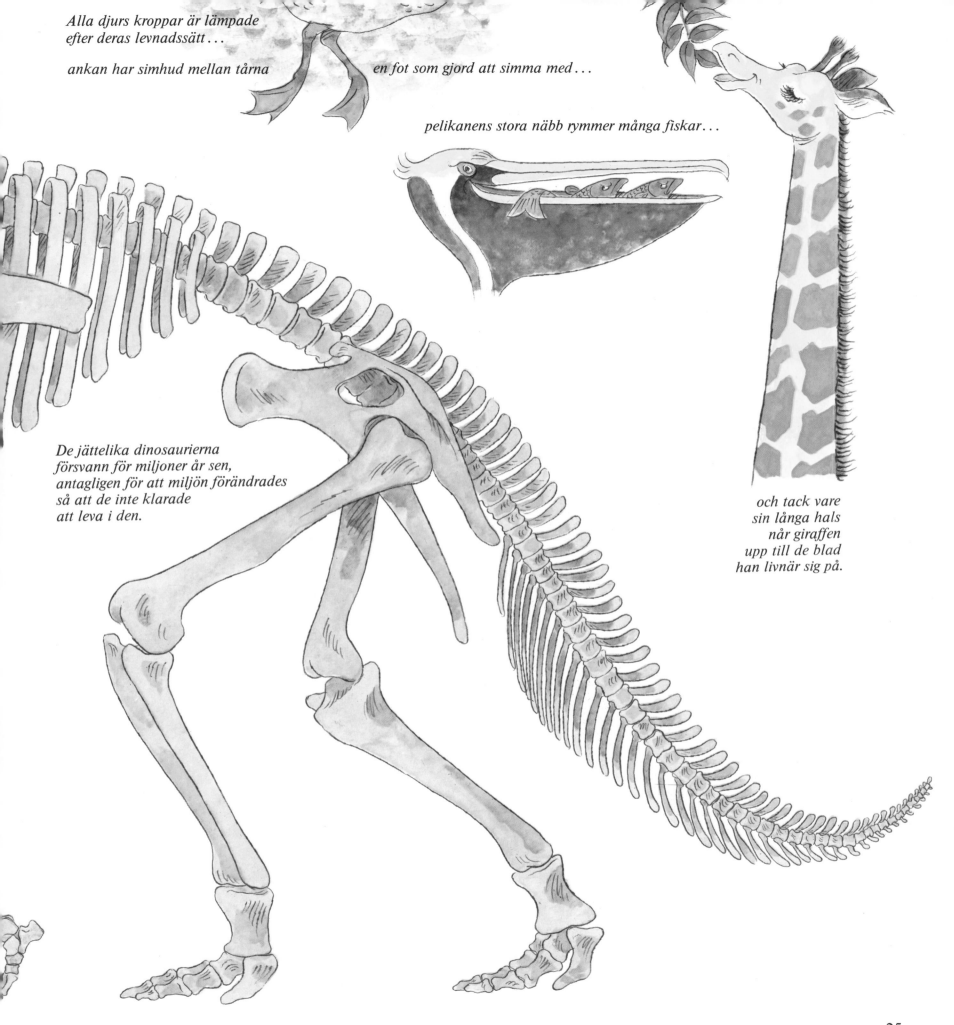

Alla djurs kroppar är lämpade
efter deras levnadssätt...

ankan har simhud mellan tårna

en fot som gjord att simma med...

pelikanens stora näbb rymmer många fiskar...

De jättelika dinosaurierna
försvann för miljoner år sen,
antagligen för att miljön förändrades
så att de inte klarade
att leva i den.

och tack vare
sin långa hals
når giraffen
upp till de blad
han livnär sig på.

Dina muskler samarbetar med varann. Tack vare dem kan du göra alla möjliga invecklade rörelser.

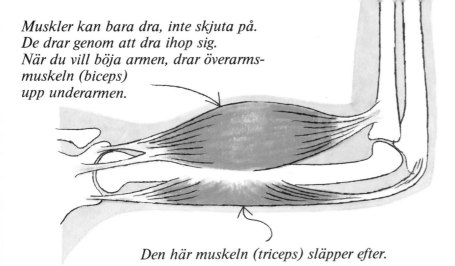

*Muskler kan bara dra, inte skjuta på.
De drar genom att dra ihop sig.
När du vill böja armen, drar överarms-
muskeln (biceps)
upp underarmen.*

Den här muskeln (triceps) släpper efter.

*När du vill räta ut armen,
släpper biceps efter...*

sena

medan triceps drar ner underarmen.

MUSKLERNA

sätter alla delar av din kropp i rörelse. Ditt hjärta slår drivet av en muskel. Dina lungor andas främst tack vare din kraftiga diafragma-muskel. Du kan inte säga ett ord utan att använda muskler, de muskler som rör dina läppar och din tunga och en mängd andra muskler i munnen, strupen och käken. För att se behöver du muskler som rör ögonen upp och ner och av och an. Och tänk så många muskler det behövs för att äta: käkmusklerna hjälper dig att tugga maten, muskler i tunga och strupe pressar ner maten i magsäcken, muskler i magsäcken blandar och mal sönder maten så att din kropp kan använda den, och muskler i tarmarna skjuter maten längs tarmarna medan blodet suger näring ur den. När du går, springer eller leker, arbetar de starka musklerna i armar, ben och bål. När du skriver, målar eller knyter en knut, jobbar de fina musklerna i handen.

Det finns två slags muskler. Den ena sorten kan du styra själv. De kallas tvärstrimmiga muskler, och de rör sig bara när du själv vill. Om du tappar en penna, befaller din hjärna dina tvärstrimmiga muskler att böja ryggen och röra fingrarna så att du kan ta upp den.

Den andra sorten kan du inte styra. De kallas glatta muskler. Musklerna i magsäcken väntar inte på att du ska säga åt dem att sätta igång – de blandar och mal sönder maten av sig själva. Och ditt hjärta behöver inte några påminnelser från dig för att pumpa runt blodet i din kropp. Glatta muskler arbetar automatiskt och håller i gång olika arbeten i din kropp till och med när du sover.

De tvärstrimmiga musklerna är vanligen fästade vid skelettbenen. Ena änden av dem sitter fast vid ett ben och den andra vid ett annat. De sätter benen i rörelse genom att dra ihop sig. När en muskel drar ihop sig, följer benet med. Men samma muskel kan inte *skjuta tillbaka* benet i utgångsläget. (Muskler liknar på sätt och vis gummiband – de kan dra, men de kan inte skjuta på.) Därför behövs en annan muskel, som kan flytta tillbaka benet genom att dra ihop sig, och därför arbetar tvärstrimmiga muskler nästan alltid i par eller flera stycken tillsammans, så att varje rörelse kan göras om så att säga baklänges.

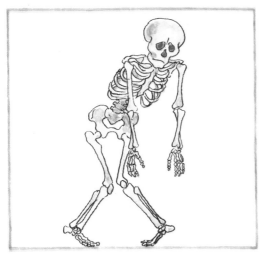

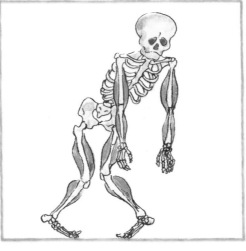

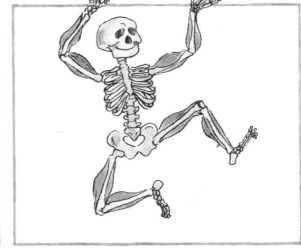

Benen kan inte röra sig av sig själva...   *men får de muskler...*   *gör de alla möjliga rörelser så lätt som ingenting!*

27

BRÖST-och BUKMUSKLERNA

gör en massa olika saker. Muskler på bröstets övre del drar ihop sig för att föra in armarna mot kroppen eller skjuta fram axlarna. På sidorna av bröstet, mellan revbenen, sitter en rad muskler som förenar ett revben med nästa. De används när vi andas. En del av dem vidgar bröstet när du andas in, och andra drar ihop det när du andas ut. Nedanför bröstet finns flera platta bukmuskler, som går åt olika håll. De håller de inre organen på plats och skyddar dem från skador – här finns ju inga skyddande skelettben. En del av dem får kroppen att böja sig och hjälper också till att spänna kroppen när du ska lyfta tunga saker.

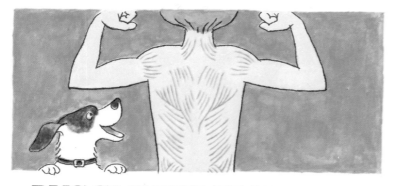

RYGGMUSKLERNA täcker nästan
hela ryggen (under dem sitter också andra muskler).

En av dem är en stor, platt muskel som liknar ett klöveress. "Klöveressets" övre spets är fästad vid skallbasen och dess nedre vid ryggraden, ungefär på mitten. Spetsarna på sidorna sitter fast vid skulderbladen. Med den muskeln kan du höja eller sänka axlarna och dra dem bakåt. Med den kan du också luta huvudet bakåt och vrida det åt sidorna. Den hjälper till när du vill lyfta armen över huvudet. Den andra stora ryggmuskeln sitter nedanför "klöveresset". Den sträcker sig från nedre halvan av ryggen till överarmen. Det är den som drar din arm bakåt, när du kastar en boll, svingar en tennisracket eller paddlar en kanot.

ARMMUSKLERNA börjar vid axeln
med en triangelformad muskel. Den är bred upptill, där den är fästad vid skulderbladet och nyckelbenet, och smalnar sen neråt till den punkt där den är fästad vid överarmsbenet. Den här muskeln drar ut armen från kroppen och hjälper till när du vill vända på armen. Du vet redan hur överarmsmusklerna funkar (sid. 27) – den ena, biceps, böjer armen, och den andra rätar ut den. Underarmen har många fler muskler än överarmen. De flesta av dem mynnar ut i senor som går in i handen. Musklerna på undersidan av armen böjer fingrar och handled och vänder handflatan neråt. Musklerna på översidan rätar ut fingrarna, böjer handen bakåt i handleden och vänder upp handflatan.

BENMUSKLERNA börjar med en

grupp muskler vid bäckenet. Med deras hjälp rätar du upp dig när du har stått framåtböjd. De hjälper också till att räta ut benet, vrida det utåt och flytta ut det från kroppen. Den största muskeln i den gruppen är den som du sitter på.

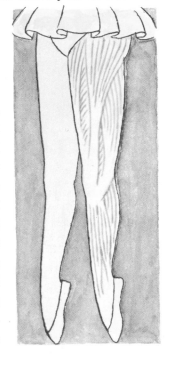

Med musklerna på lårets baksida böjer du knäet. Musklerna på lårets framsida rätar ut knäet eller drar upp det mot bröstet. Den längsta muskeln i kroppen går diagonalt från höften över låret till insidan av benet strax nedanför knäet. Tack vare den kan du sätta dig med benen i kors. Musklerna från underbenet till foten sköter de flesta av fotens rörelser. Med framsidans muskler drar du upp fot och tår. Med vadmuskeln på baksidan drar du upp hälen.

Det finns många HALSMUSKLER. Två av de viktigaste går från punkter bakom öronen och neråt tills de möts vid bröstbenet. När de drar ihop sig böjs huvudet framåt. När du nickar upp och ner som för att säga "ja" till exempel, lyfter "klöveress"-muskeln på ryggen upp huvudet. Och så drar de båda halsmusklerna ner det igen. Det är också de som vrider huvudet av och an, när du menar "nej". Först drar den ena halsmuskeln åt ena hållet, och sen drar den andra åt andra hållet. Med samma muskler lägger du huvudet på sned åt vilken sida du vill.

 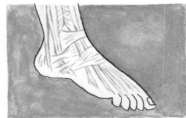

FOTMUSKLERNA används inte sär-

skilt mycket när du rör foten – det är huvudsakligen musklerna från benet till foten som sköter den saken. Foten har lika många muskler som handen men behöver inte alls göra så många invecklade rörelser som handen. En apa kan gripa om trädgrenar med foten och göra en massa andra saker med den, men människorna använder mest foten för att gå och springa med, och fotmusklernas arbete inskränker sig oftast till att hålla upp de ben som bildar hålfoten samt att vifta med tårna och spreta med dem.

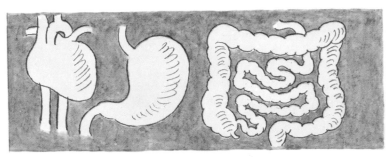

ORGANMUSKLERNA och blod-

kärlens muskler är glatta muskler: de arbetar utan order och håller automatiskt i gång kroppens funktioner. En del av dem rör sig långsamt och mjukt: en enda sammandragning kan ta flera minuter. Musklerna i matsmältningskanalen som blandar maten och flyttar den vidare och musklerna som vidgar eller drar ihop blodkärlen för att reglera blodcirkulationen hör till dem. Hjärtat är också en självständigt arbetande muskel: det drar automatiskt ihop sig och slappnar av, men sammandragningarna är snabba och bestämda.

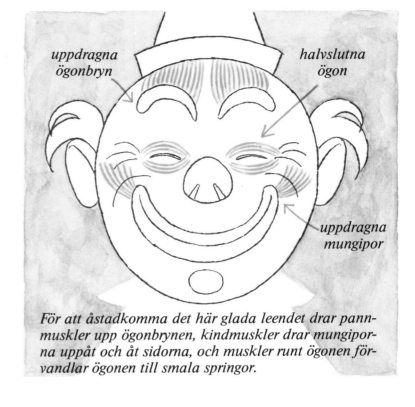

För att åstadkomma det här glada leendet drar pann-muskler upp ögonbrynen, kindmuskler drar mungipor-na uppåt och åt sidorna, och muskler runt ögonen för-vandlar ögonen till smala springor.

uppdragna ögonbryn

halvslutna ögon

uppdragna mungipor

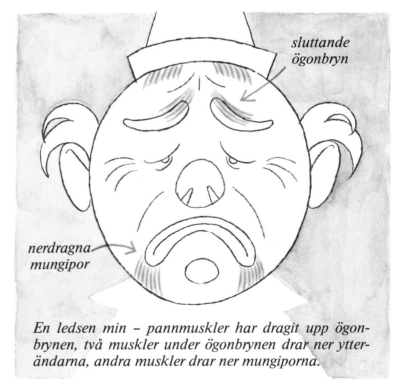

sluttande ögonbryn

nerdragna mungipor

En ledsen min – pannmuskler har dragit upp ögon-brynen, två muskler under ögonbrynen drar ner ytter-ändarna, andra muskler drar ner mungiporna.

ANSIKTSMUSKLERNA har tre

huvuduppgifter. För det första att röra underkäken när du tuggar. För det andra att röra läpparna när du talar eller sjunger. För det tredje att förändra ansiktet så att det syns när du känner dig ledsen, glad, arg, förvånad eller rädd.

De flesta av de muskler som hjälper dig att äta är fästade vid käkbenen strax framför öronen. De sänker och lyfter underkäken och rör den åt sidorna, så att du kan bita av, tugga och mala sönder maten.

En del av dessa muskler används också när du talar eller sjunger tillsammans med ringen av muskler runt dina läppar. Säg "o" och "i" framför spegeln, så ser du hur musklerna förändrar formen på din mun.

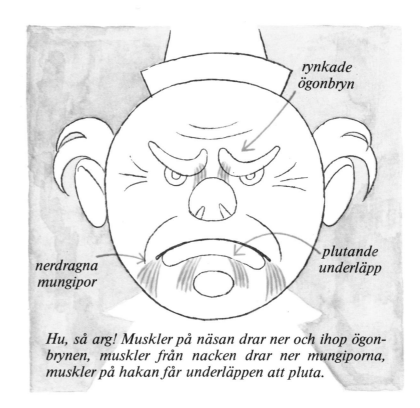

rynkade ögonbryn

nerdragna mungipor

plutande underläpp

Hu, så arg! Muskler på näsan drar ner och ihop ögonbrynen, muskler från nacken drar ner mungiporna, muskler på hakan får underläppen att pluta.

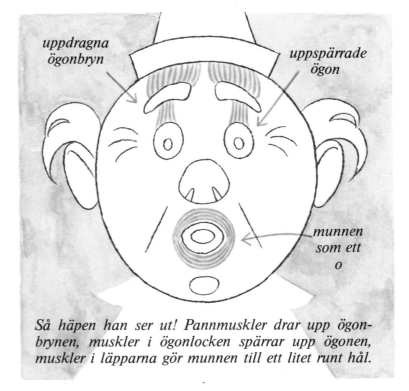

uppdragna ögonbryn

uppspärrade ögon

munnen som ett o

Så häpen han ser ut! Pannmuskler drar upp ögonbrynen, muskler i ögonlocken spärrar upp ögonen, muskler i läpparna gör munnen till ett litet runt hål.

Sexton muskler hjälper ditt ansikte att uttrycka känslor. De flesta arbetar två och två – en muskel i ena ansiktshalvan samarbetar med en muskel i den andra ansiktshalvan. De muskler som rör din mun när du äter eller talar används också när du vill visa förvåning. Andra muskler, fästade på bröstet, drar ner underdelen av ansiktet när du känner dig ledsen. Och så finns det muskler som drar mungiporna uppåt eller neråt eller åt sidorna.

Med muskler från huvudsvålen höjer du på ögonbrynen och rynkar pannan när du blir förvånad; med andra drar du ner ögonbrynens ytterändar när du är gråtfärdig. Ringar av muskler runt ögonen – liknande dem du har runt munnen – ändrar formen på ögonen. Med hjälp av alla dessa små muskler kan ditt ansikte uttrycka nästan allt du känner.

Om du **GYMNASTISERAR** varje dag, hålls dina muskler i form. Muskler som inte används tillräckligt ofta blir lösa, slappa och svaga. De reagerar slött och kraftlöst när du vill att de ska göra något. Om du tränar och använder alla dina muskler regelbundet, håller de sig starka och fasta, redo att göra allt du befaller. Med fasta muskler ser din kropp frisk ut; de hjälper dig att hålla dig rak och röra dig smidigt.

Att gymnastisera är viktigt för hela din kropp. Det kommer ditt hjärta att slå fortare och gör det starkt.

Det tvingar dina lungor att andas djupare och tillföra kroppen mera syre. Det ger dig krafter att göra allt du tycker är roligt utan att bli trött. Det hjälper dig att må bättre, arbeta bättre och se friskare ut.

Här har du några övningar, som kanske roar dig. Gör dem varje dag och fortsätt att springa och leka och sporta utomhus, så håller du dig i form.

Börja långsamt. Gör inte rörelserna mer än några gånger. Så småningom kan du öka antalet tills du orkar med alla. Försök göra dem mjukt och smidigt – då gör de störst verkan.

1. *SKÖLDPADDA och HARE*
Den här övningen gör du på stället, det vill säga utan att flytta dig. Först lunkar du femtio steg, långsamt som en sköldpadda. Sen springer du femtio steg, snabbt som en hare. Gör om det 3 gånger.

2. *GORILLA-GÅNG*
Flytta isär fötterna ungefär så långt som du är bred över axlarna. Böj dig i midjan och fatta med händerna om vristerna. Gå med raka ben.

3. *MÄTARLARV*
Lägg dig så här på golvet – raka armar, rak rygg, raka ben.

Håll händerna stilla och flytta fötterna med små steg så nära händerna du kan.

Håll fötterna stilla och flytta händerna steg för steg tills du är tillbaka i utgångsläget.

4. RYSKA HOPPET

Sätt dig på huk med armarna i kors över bröstet. Hoppa jämfota uppåt och framåt. Efter varje hopp går du ner på huk igen. Hoppa runt i en cirkel.

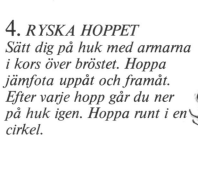

ställning 1   *ställning 2*

5. STÅ SOM EN GRODA.
Sätt dig på huk. Sätt händerna i golvet. Luta dig framåt, lyft fötterna från golvet och balansera på händerna. Gör om det 5 gånger.

Raka ben och armar!

6. BJÖRN-LUNK.
Böj dig fram och sätt händerna i golvet. Gå runt i en cirkel. Flytta vänster ben och vänster arm på samma gång, och sen höger arm och höger ben.

7. SKOTTKÄRRA

Den här övningen måste man vara två om. En av er ställer sig på alla fyra. Den andra lyfter upp den förstas ben – fatta tag om vristerna. Sen går ni framåt, en på händerna och en på fötterna. Efter en stund byter ni plats.

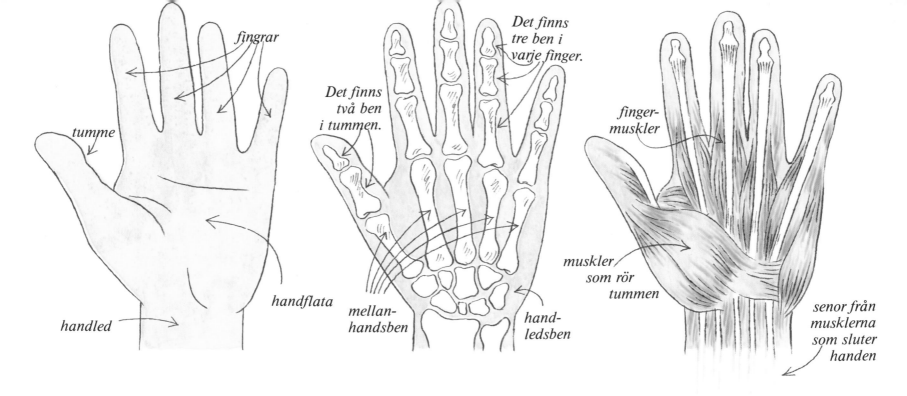

fingrar

tumme

Det finns
tre ben i
varje finger.

Det finns
två ben
i tummen.

finger-
muskler

handflata

handled

mellan-
handsben

hand-
ledsben

muskler
som rör
tummen

senor från
musklerna
som sluter
handen

Din HAND är ett av de tre huvudskälen till att du, en människa, har kommit längre än alla andra varelser. Din hjärna som kan tänka och hitta på idéer och din talförmåga, som gör att du kan prata med andra människor om de där idéerna, är de båda andra skälen.

Dina händer utför de idéer och uppfinningar som din hjärna har funderat ut. Det räcker inte med att någon säger: "Jag har hittat på ett sätt att skydda mig för dåligt väder – ett hus!" Det behövs händer för att göra verktyg att hugga träd med och förvandla dem till plankor. Det behövs händer för att bygga väggar av plankorna och lägga ett tak över dem. Och om en kompositör med sin hjärna skapar ett vackert piano-stycke, behövs det en pianists tränade händer för att vi alla ska kunna höra musiken.

Händer kan plocka upp små nålar, gripa tunga verk-tyg, öppna dörrar och stänga dem, vrida av lock på burkar och flaskor, kittla folk, skriva, måla och spela på musikinstrument. De kan göra otaliga saker och utföra alla de olika rörelser som behövs för det, allt tack vare sin mycket invecklade byggnad.

I varje hand finns tjugosju små ben – tillsammans har dina båda händer femtiofyra ben, mer än en fjärde-del av din kropps 206 ben! Åtta ben sitter i handleden. De kan glida en bit över varann, vilket gör handleden så rörlig att din hand kan inta en mängd olika ställ-ningar.

Fem ben sitter i handflatan. Tumbenet sitter i vinkel mot de fyra fingerbenen, så att tummen kan röra sig mot fingrarna – därför kan handen plocka upp och hålla fast saker. (Försök plocka upp något utan att använda tummen! Det är inte alls så lätt som när du använder tummen.) Naglarna hjälper till att plocka upp saker som är så små att fingrarna inte får tag i dem.

Trettio muskler rör fingrarna på varje hand. Det är tack vare att handen har så många muskler, som den kan göra alla de små fina rörelser du vill att den ska göra.

Den smidiga
människohanden
utför den skarpa
människohjärnans order.

Apans händer
liknar människans
men har
kortare tumme.

tummen

Fladdermusens vinge
består av dess arm
och långfingrade hand,
överdragna av
tunn hud.

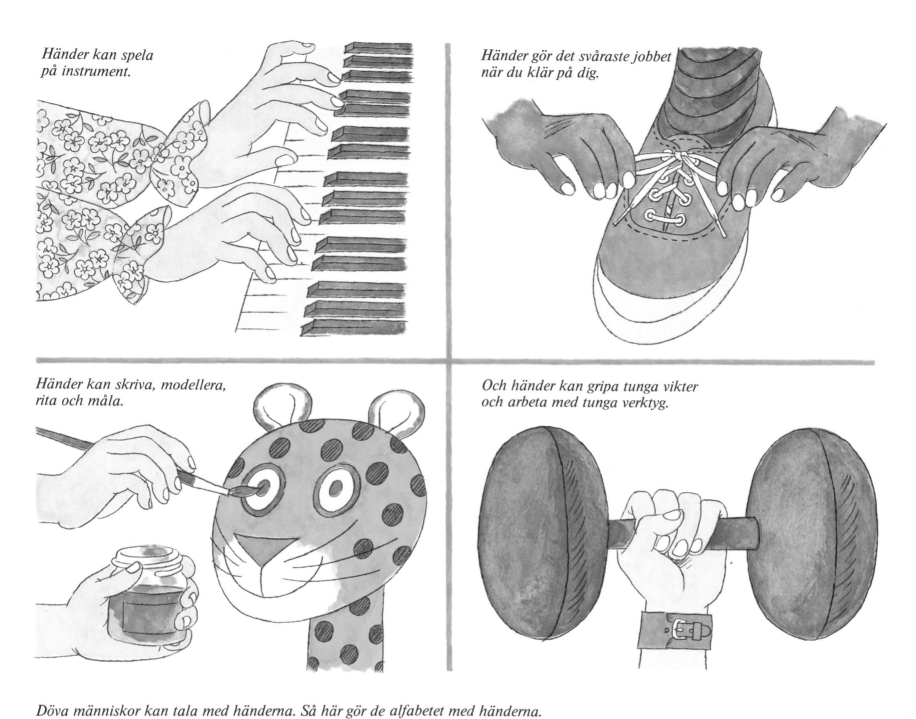

Händer kan spela på instrument.

Händer gör det svåraste jobbet när du klär på dig.

Händer kan skriva, modellera, rita och måla.

Och händer kan gripa tunga vikter och arbeta med tunga verktyg.

Döva människor kan tala med händerna. Så här gör de alfabetet med händerna.

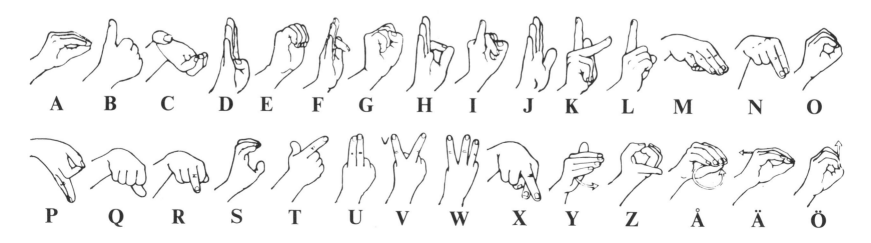

A B C D E F G H I J K L M N O

P Q R S T U V W X Y Z Å Ä Ö

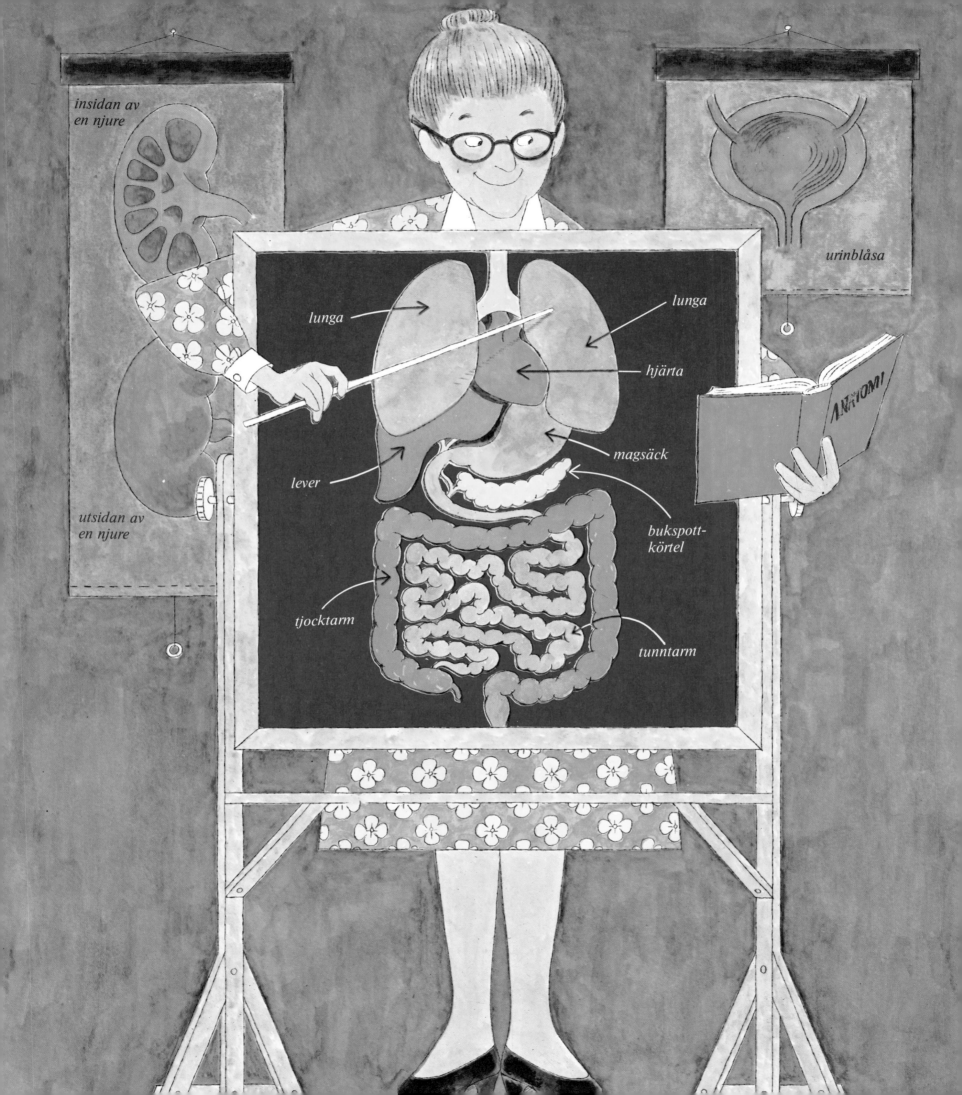

insidan av
en njure

utsidan av
en njure

urinblåsa

lunga

lunga

hjärta

magsäck

lever

bukspott-
körtel

tjocktarm

tunntarm

ANATOMI

Ett **ORGAN** är en grupp vävnader som har förenats för att utföra ett särskilt jobb. (Vävnader är samma slags celler förenade till en enhet – se sid. 18.) Hjärtat, ögonen, lungorna, magsäcken, tarmarna och hjärnan är några av kroppens organ.

En grupp organ som tillsammans sköter en uppgift kallas ett system. Det finns tio huvudsystem i en människokropp. Samarbetet inom varje system måste funka oklanderligt för att kroppen ska hålla sig frisk.

Skelettsystemet, benen och bindväven som håller ihop dem, är kroppens stomme. *Muskelsystemet* rör stommen, driver näringen genom kroppen och pumpar runt blodet. *Nervsystemet,* hjärnan, ryggmärgen och nerverna, styr alla övriga system. Det ger musklerna de signaler som får dem att röra sig. Genom de fem sinnena – känsel, syn, lukt, hörsel och smak – håller det oss underrättade om vår omgivning. Det sköter om tänkandet.

Matsmältningssystemet, magsäcken, tunntarmen, tjocktarmen och ändtarmen, suger upp näring för att ge kroppen den energi den behöver för att kunna uträtta allt arbete och driver ut avföringen, det vill säga den näring som inte kan användas, ur kroppen. *Andningssystemet,* luftstrupen, luftrören och lungorna, tar in luft och avskiljer det syre kroppen behöver för att kunna förbränna maten. Det för också ut den koldioxid, som samlas ihop från cellerna, ur kroppen. *Cirkulationssystemet,* hjärtat, blodet och alla blodkärl, transporterar näring och syre till alla delar av kroppen.

Lymfsystemet använder en vätska som kallas lymfa för att samla ihop och föra bort en del avfall från vävnaderna. *Urinsystemet,* njurarna och urinblåsan, tar upp flytande avfall ur blodet och skickar ut det ur kroppen. *Endokrina körtelsystemet* hjälper till att reglera kroppens funktioner genom att skicka ut kemiska "budskap" i blodet, som talar om för de andra systemen hur de ska arbeta för att tillfredsställa kroppens behov. *Fortplantningssystemet* är den grupp av organ som skapar nya människovarelser – genom det får människorna barn.

Andningssystemet – luftrör och lungor

Matsmältningssystemet – magsäck, tarmar, lever och bukspottkörtel

Cirkulationssystemet – hjärta, blod och blodkärl

Urinsystemet – njurar och urinblåsa

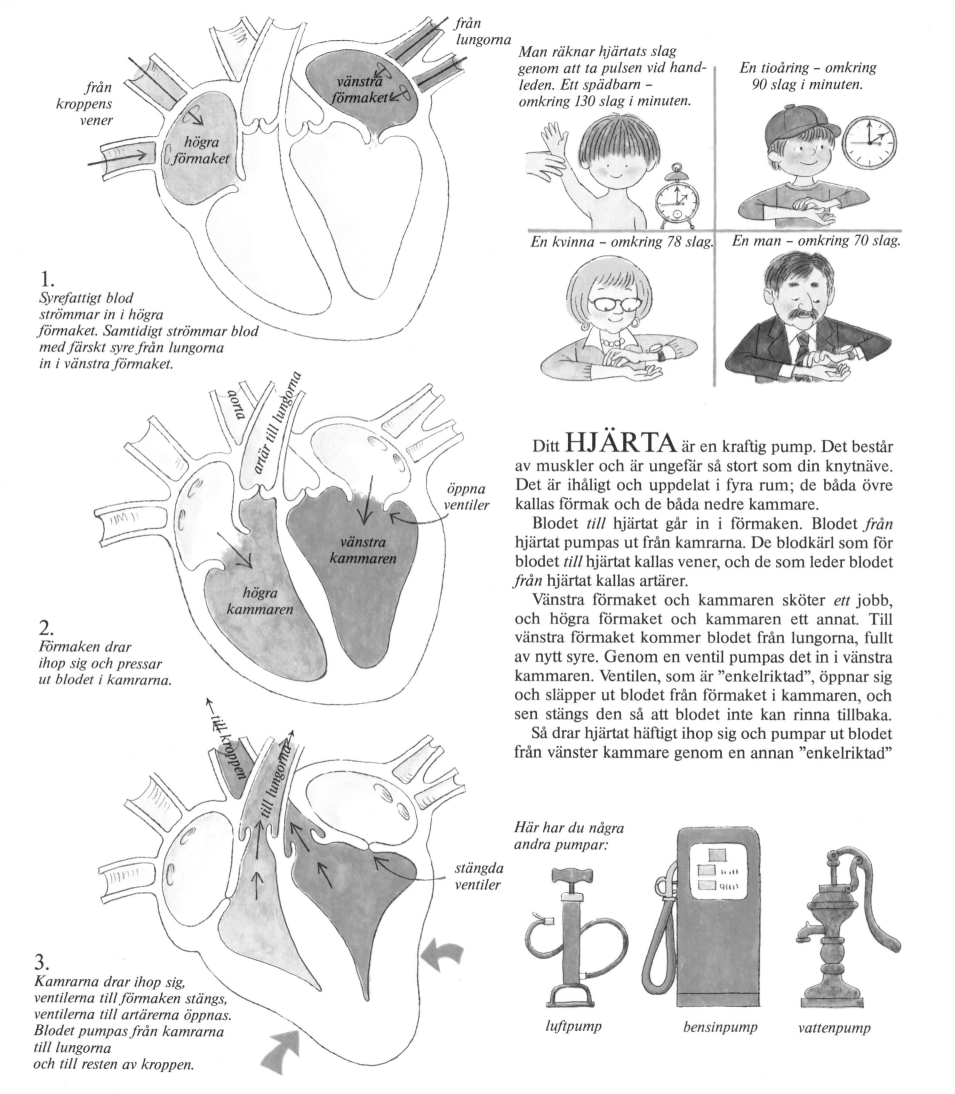

från lungorna

från kroppens vener

vänstra förmaket

högra förmaket

1.

Syrefattigt blod strömmar in i högra förmaket. Samtidigt strömmar blod med färskt syre från lungorna in i vänstra förmaket.

aorta

artär till lungorna

öppna ventiler

vänstra kammaren

högra kammaren

2.

Förmaken drar ihop sig och pressar ut blodet i kamrarna.

till kroppen

till lungorna

stängda ventiler

3.

Kamrarna drar ihop sig, ventilerna till förmaken stängs, ventilerna till artärerna öppnas. Blodet pumpas från kamrarna till lungorna och till resten av kroppen.

Man räknar hjärtats slag genom att ta pulsen vid handleden. Ett spädbarn – omkring 130 slag i minuten.

En tioåring – omkring 90 slag i minuten.

En kvinna – omkring 78 slag.

En man – omkring 70 slag.

Ditt HJÄRTA är en kraftig pump. Det består av muskler och är ungefär så stort som din knytnäve. Det är ihåligt och uppdelat i fyra rum; de båda övre kallas förmak och de båda nedre kammare.

Blodet *till* hjärtat går in i förmaken. Blodet *från* hjärtat pumpas ut från kamrarna. De blodkärl som för blodet *till* hjärtat kallas vener, och de som leder blodet *från* hjärtat kallas artärer.

Vänstra förmaket och kammaren sköter *ett* jobb, och högra förmaket och kammaren ett annat. Till vänstra förmaket kommer blodet från lungorna, fullt av nytt syre. Genom en ventil pumpas det in i vänstra kammaren. Ventilen, som är "enkelriktad", öppnar sig och släpper ut blodet från förmaket i kammaren, och sen stängs den så att blodet inte kan rinna tillbaka.

Så drar hjärtat häftigt ihop sig och pumpar ut blodet från vänster kammare genom en annan "enkelriktad"

Här har du några andra pumpar:

luftpump

bensinpump

vattenpump

Hjärtat slår långsammare när man sitter i lugn och ro.

Hjärtat ökar farten något när man tar lätt motion.

Vid häftig motion, när kroppen behöver massor med energi, bultar hjärtat som en stångjärnshammare.

ventil i aortan, den största artären, för en färd runt kroppen.

När blodet har gjort sin rundtur genom kroppen, går det tillbaka till hjärtat, rinner in i högra förmaket och pumpas genom en ventil ner i högra kammaren. Det här blodet var ljusrött och fullt av syre när det började sin resa. Nu har det avgivit nästan allt syre till kroppens celler och i stället samlat upp koldioxid. Det är blårött till färgen.

Samma sammandragning av hjärtat som pumpar ut blodet från vänstra kammaren i aortan driver blodet från högra kammaren till lungorna. Där befrias blodet från koldioxid, suger upp nytt syre och går tillbaka till vänstra sidan av hjärtat för en ny tur genom kroppen.

Musklerna i förmaken är mindre än kamrarnas, eftersom de har ett lättare arbete att utföra. De ska bara pumpa ner blodet i kamrarna. Muskeln kring högra kammaren är tjock och stark – den måste kunna dra ihop sig med tillräcklig kraft för att kunna driva blodet genom lungorna. Men den tjockaste och starkaste av hjärtmusklerna är den som omger vänstra kammaren. Den måste dra ihop sig med en sådan styrka att blodet når fram till alla delar av kroppen. Det är kammarmusklernas kraftiga sammandragningar vi känner som hjärtslag.

Ett spädbarns hjärta slår ungefär 130 gånger i minuten, en tioårings ungefär 90 gånger i minuten, en kvinnas hjärta omkring 78 gånger i minuten och en mans omkring 70 gånger i minuten. Det vill säga, om de ligger, sitter eller står. Om de springer fort eller gymnastiserar, slår det fortare. En löpares hjärta kan under en tävling slå mer än 150 gånger i minuten. Man kan känna hjärtslagen på flera ställen på kroppen. Det bästa är handleden. Det är där doktorn tar pulsen.

Doktorn använder en apparat som ritar av patientens hjärtslag och visar om hjärtat arbetar bra.

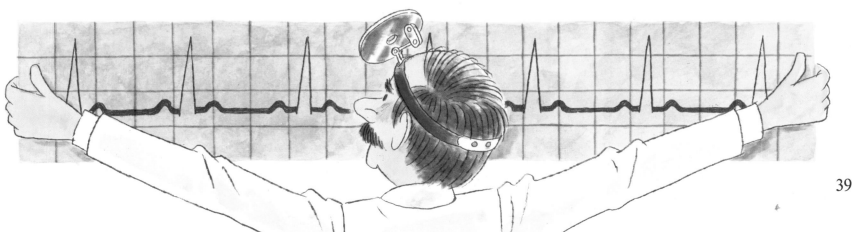

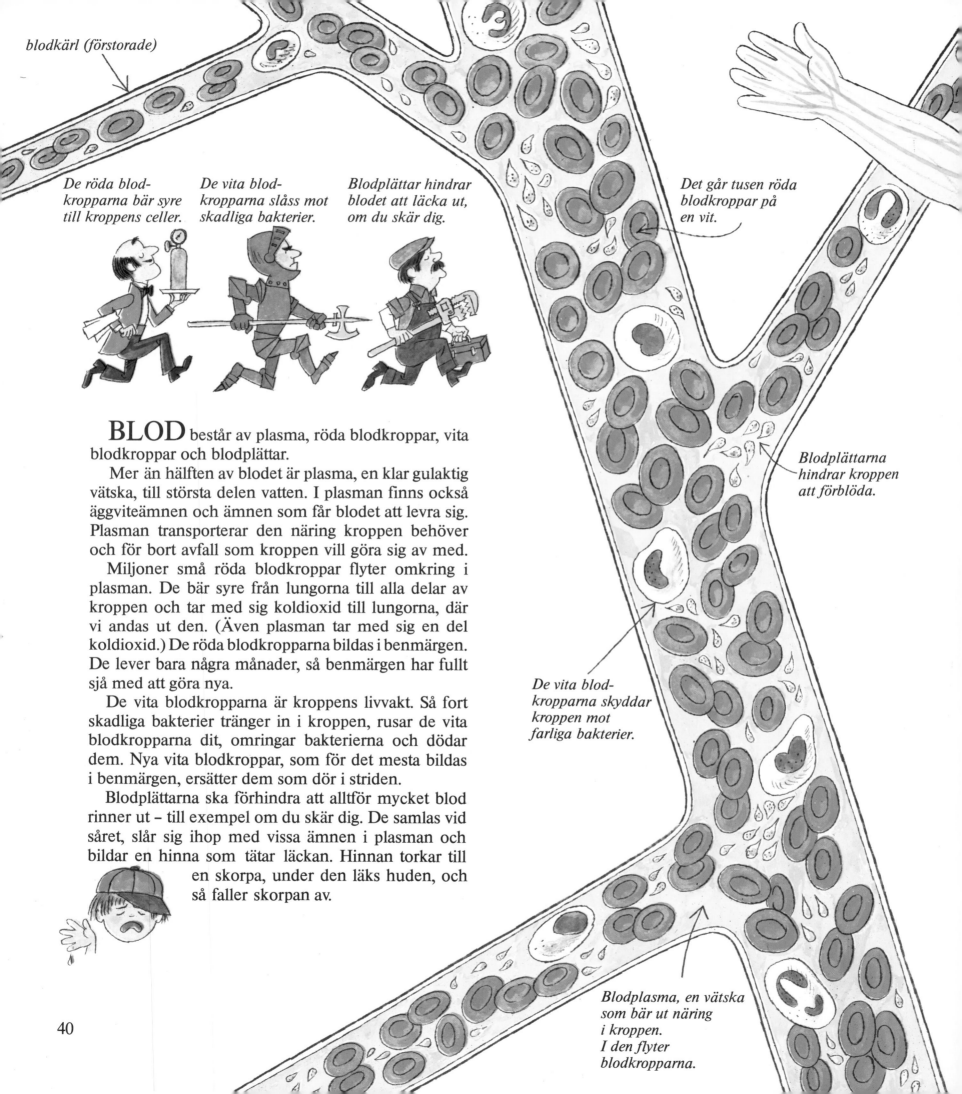

blodkärl (förstorade)

De röda blod-
kropparna bär syre
till kroppens celler.

De vita blod-
kropparna slåss mot
skadliga bakterier.

Blodplättar hindrar
blodet att läcka ut,
om du skär dig.

Det går tusen röda
blodkroppar på
en vit.

Blodplättarna
hindrar kroppen
att förblöda.

De vita blod-
kropparna skyddar
kroppen mot
farliga bakterier.

Blodplasma, en vätska
som bär ut näring
i kroppen.
I den flyter
blodkropparna.

BLOD består av plasma, röda blodkroppar, vita blodkroppar och blodplättar.

Mer än hälften av blodet är plasma, en klar gulaktig vätska, till största delen vatten. I plasman finns också äggviteämnen och ämnen som får blodet att levra sig. Plasman transporterar den näring kroppen behöver och för bort avfall som kroppen vill göra sig av med.

Miljoner små röda blodkroppar flyter omkring i plasman. De bär syre från lungorna till alla delar av kroppen och tar med sig koldioxid till lungorna, där vi andas ut den. (Även plasman tar med sig en del koldioxid.) De röda blodkropparna bildas i benmärgen. De lever bara några månader, så benmärgen har fullt sjå med att göra nya.

De vita blodkropparna är kroppens livvakt. Så fort skadliga bakterier tränger in i kroppen, rusar de vita blodkropparna dit, omringar bakterierna och dödar dem. Nya vita blodkroppar, som för det mesta bildas i benmärgen, ersätter dem som dör i striden.

Blodplättarna ska förhindra att alltför mycket blod rinner ut – till exempel om du skär dig. De samlas vid såret, slår sig ihop med vissa ämnen i plasman och bildar en hinna som tätar läckan. Hinnan torkar till en skorpa, under den läks huden, och så faller skorpan av.

40

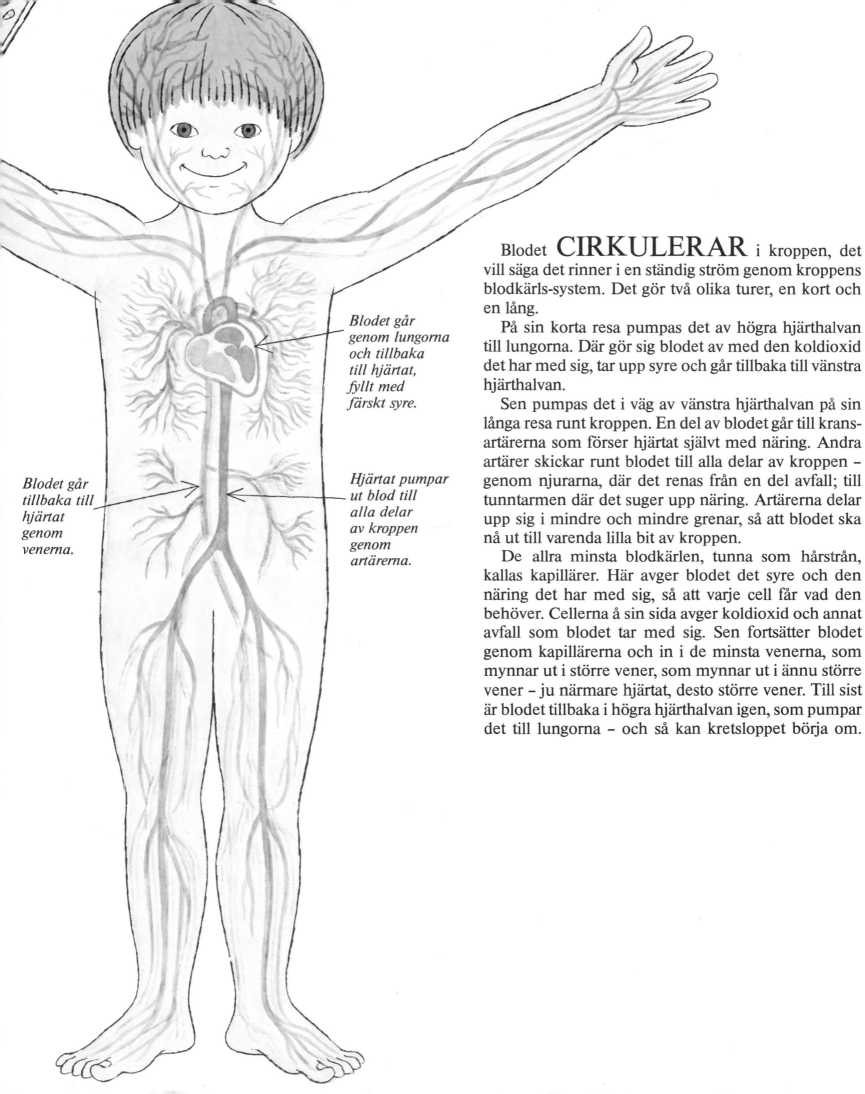

Blodet går genom lungorna och tillbaka till hjärtat, fyllt med färskt syre.

Blodet går tillbaka till hjärtat genom venerna.

Hjärtat pumpar ut blod till alla delar av kroppen genom artärerna.

Blodet **CIRKULERAR** i kroppen, det vill säga det rinner i en ständig ström genom kroppens blodkärls-system. Det gör två olika turer, en kort och en lång.

På sin korta resa pumpas det av högra hjärthalvan till lungorna. Där gör sig blodet av med den koldioxid det har med sig, tar upp syre och går tillbaka till vänstra hjärthalvan.

Sen pumpas det i väg av vänstra hjärthalvan på sin långa resa runt kroppen. En del av blodet går till krans-artärerna som förser hjärtat självt med näring. Andra artärer skickar runt blodet till alla delar av kroppen – genom njurarna, där det renas från en del avfall; till tunntarmen där det suger upp näring. Artärerna delar upp sig i mindre och mindre grenar, så att blodet ska nå ut till varenda lilla bit av kroppen.

De allra minsta blodkärlen, tunna som hårstrån, kallas kapillärer. Här avger blodet det syre och den näring det har med sig, så att varje cell får vad den behöver. Cellerna å sin sida avger koldioxid och annat avfall som blodet tar med sig. Sen fortsätter blodet genom kapillärerna och in i de minsta venerna, som mynnar ut i större vener, som mynnar ut i ännu större vener – ju närmare hjärtat, desto större vener. Till sist är blodet tillbaka i högra hjärthalvan igen, som pumpar det till lungorna – och så kan kretsloppet börja om.

Vi måste ha luft, mat och vatten för att kunna leva. Äter och dricker gör vi flera gånger om dan, men luft måste vi andas hela tiden – dag och natt, sovande eller vakna.

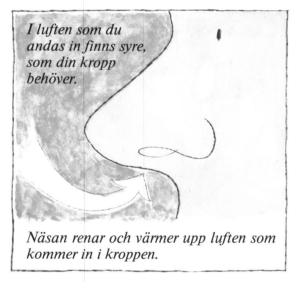

I luften som du andas in finns syre, som din kropp behöver.

Näsan renar och värmer upp luften som kommer in i kroppen.

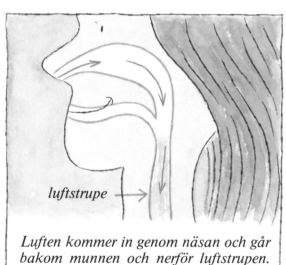

Luften kommer in genom näsan och går bakom munnen och nerför luftstrupen.

luftstrupe →

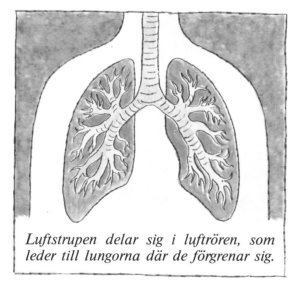

Luftstrupen delar sig i luftrören, som leder till lungorna där de förgrenar sig.

Grenarna blir mindre och mindre och leder till miljoner små ballongliknande lungblåsor.

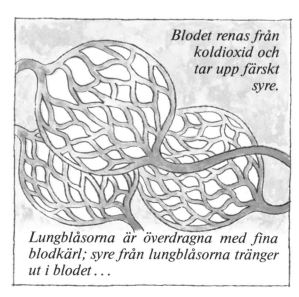

Blodet renas från koldioxid och tar upp färskt syre.

Lungblåsorna är överdragna med fina blodkärl; syre från lungblåsorna tränger ut i blodet...

I luften som du andas ut finns koldioxid, avfall från cellerna.

...medan koldioxiden går från blodet in i lungblåsorna och följer med den luft du andas ut.

LUNGORNA

tar emot den luft du andas in genom näsa och mun, luft som innehåller det syre dina celler behöver för att kunna förbränna sin näring.

Näsan har flera olika uppgifter. De fina håren och de klibbiga slemhinnorna i näsan fångar upp damm och smuts i luften som du andas in. Om du får in något i näsan, nyser näsan automatiskt – den försöker driva ut det som kittlar med en kraftig vindstöt. Tätt under ytan i näsan sitter massor av blodkärl. När kall luft passerar förbi dem, värms den upp av det varma blodet. Till och med kall vinterluft har nästan kroppstemperatur när den har gått genom näsan.

När luften har passerat näsan och svalget, går den ner i den decimeterlånga luftstrupen, där den renas och värms upp ännu mer. Luftstrupen delar sig i två grenar, luftrören, en till vardera lungan. Inne i lungorna delar luftrören upp sig i allt finare grenar, och genom dem kommer luften fram till lungblåsorna.

Lungorna består av miljoner små ballongliknande blåsor. Varje blåsa är omgiven av ett nät av fina blodkärl. En del av luftens syre tränger genom lungblåsornas tunna väggar in i blodkärlen och förs sen runt till alla delar av kroppen av de röda blodkropparna. Samtidigt avger blodet den koldioxid som den har samlat ihop från kroppens celler. Koldioxiden går in i lungblåsorna – du andas ut och är av med den!

Lungorna omges och skyddas av bröstkorgen. Under lungorna ligger en mycket kraftig muskel, som kallas diafragman. När du andas in, dras revbenen ut av muskler som sitter på dem, så att lungorna får större plats. Diafragman sjunker neråt, och så blir det ännu mera plats. Luft strömmar in utifrån och fyller lungorna. När du andas ut, slappnar musklerna av, bröstkorgen och lungorna drar ihop sig, och luften drivs ut.

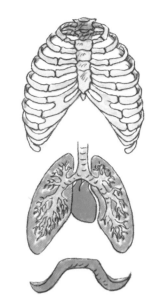

Det här är bröstkorgen som skyddar lungorna. Den vidgas och dras ihop allteftersom du andas in och ut.

Det här är lungorna med hjärtat mellan sig. Alltihop får plats i bröstkorgen.

Mellangärdet eller diafragman är en stor muskel som hjälper dig att andas genom att dra ihop sig och slappna av.

Så här passar bitarna ihop –

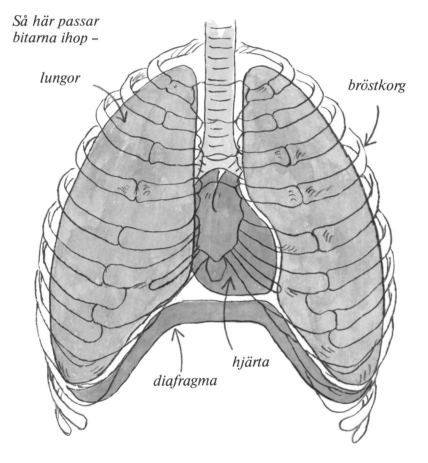

lungor

bröstkorg

hjärta

diafragma

Andas in – lungorna fylls, bröstet vidgas.

Andas in – revbenen vidgar sig, bröstet blir större.

Andas in – diafragman slappnar av, det blir större plats för lungorna.

Andas ut – luften går ut ur lungorna, bröstet sjunker in.

Andas ut – revbenen drar ihop sig, bröstet blir plattare.

Andas ut – diafragman skjuter upp, det blir mindre plats för lungorna.

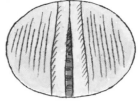

Dina stämband, sedda uppifrån, när du sjunger...

... en hög ton

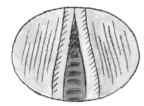

... en låg ton

RÖSTEN

RÖSTEN är precis som ett blåsinstrument, en klarinett till exempel. När du blåser i en klarinett, sätts en tunn skiva i toppen, rörbladet, i dallring. Dallringen fortplantas, så att all luft i klarinetten börjar vibrera. Den vibrerande luften kommer ut i andra änden av klarinetten som ljud. När du använder rösten, blåser luft från lungorna förbi stämbanden i din strupe. De börjar vibrera, och genast börjar luften i din strupe, mun och näsa att vibrera. Den vibrerande luften kommer ut ur munnen som röst.

Stämbanden sitter i struphuvudet strax nedanför tungroten, just där luftstrupen börjar. När du är tyst och bara andas, står stämbanden som ett öppet V. När du talar eller sjunger, dras stämbanden närmare varann av muskler. Olika avstånd ger olika ljud. Om du vill sjunga en hög ton, drar musklerna ihop stämbanden så att de nästan möts i V-ets öppna del. Luften från lungorna sätter de hårt spända stämbanden i dall-

ring, och det blir en hög ton. Vill du sjunga en låg ton, slappnar stämbanden och V-et öppnar sig mera. Luften från lungorna sätter de lösare stämbanden i dallring, och en låg ton kommer ut.

En del människor har ljusa röster, andra har mörkare. Vuxna har vanligen djupare röster än barn. Det beror på hur långa och tjocka stämbanden är. När en pojke blir bortåt fjorton år, kommer han i målbrottet: hans struphuvud blir större, stämbanden blir längre och tjockare – och efter en tid har han fått mansröst. När en flicka kommer i fjorton-årsåldern, blir hennes röst lite djupare och fylligare, men den förändras inte så mycket som en pojkröst.

Ljuden från stämbanden formas till ord av läppar, tunga, gom och tänder. Om du vill säga ”L” till exempel, sätter du tungspetsen mot insidan av framtänderna. Vill du säga ”G”, sätter du bakre delen av tungan mot gommen. Och när du säger ”O”, formar du läpparna till en ring.

Läppar, tunga, gom och tänder hjälps åt att framkalla olika ljud.

struplock

struphuvud

stämband

luftstrupe

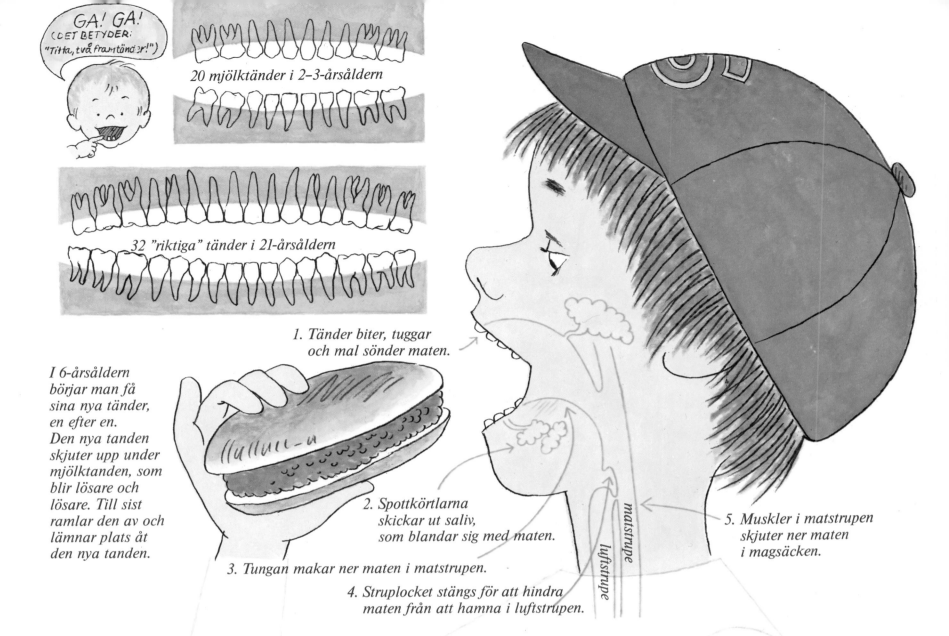

GA! GA! (DET BETYDER: "Titta, två framtänder!")

20 mjölktänder i 2–3-årsåldern

32 "riktiga" tänder i 21-årsåldern

I 6-årsåldern börjar man få sina nya tänder, en efter en. Den nya tanden skjuter upp under mjölktanden, som blir lösare och lösare. Till sist ramlar den av och lämnar plats åt den nya tanden.

1. Tänder biter, tuggar och mal sönder maten.

2. Spottkörtlarna skickar ut saliv, som blandar sig med maten.

3. Tungan makar ner maten i matstrupen.

4. Struplocket stängs för att hindra maten från att hamna i luftstrupen.

matstrupe

luftstrupe

5. Muskler i matstrupen skjuter ner maten i magsäcken.

MUNNEN

använder du när du talar, sjunger och ibland när du andas. Det är också i munnen som matsmältningen börjar.

Matsmältning betyder att maten delas upp i små små bitar, som fuktas och blandas med kemiska ämnen som din kropp framställer och till sist förvandlas till en vätska som kan ge cellerna näring.

Du vet hur liten en cell är och hur stor en smörgås är. Matsmältningsapparatens jobb är att få in en del av smörgåsen i cellen.

Det arbetet börjar i munnen. Med dina mejselformiga framtänder biter du av en tugga. Sen mals tuggan sönder av de knöliga kindtänderna. Tänderna i underkäken rör sig av och an och upp och ner och krossar maten mot de orörliga tänderna i överkäken. Ju längre du tuggar, desto mindre blir bitarna. Mat som kräm och gröt behöver förstås inte tuggas så mycket, och flytande föda som mjölk eller saft behöver inte tuggas alls.

Hela tiden medan du tuggar, sprutar en vätska som kallas saliv (spott) fram i munnen och blandar sig med maten. Den kommer från tre sorters körtlar inne i munnen som kallas spottkörtlar. Saliven är viktig inte bara för att fukta maten och göra den lättare att svälja: den hjälper dig också att känna smak. Du känner inte smaken av torr mat som till exempel hårt bröd, förrän saliven har blandat sig med den och fört smakämnena i maten till smaklökarna på tungan.

Tungan flyttar runt maten i munnen, så att allt blir tuggat och söndermalt. Den blandar maten med saliv och skjuter sen tuggan bakåt i munnen när den är klar att sväljas.

Att svälja kan vara lite knepigt ibland. Du har två rör i strupen. Det ena, matstrupen, går ner till magsäcken, och det andra, luftstrupen, går ner till lungorna. Maten ska inte ner i lungorna. För att förhindra det sitter en liten flik över luftstrupen, struplocket. Den stänger till luftstrupen när du sväljer.

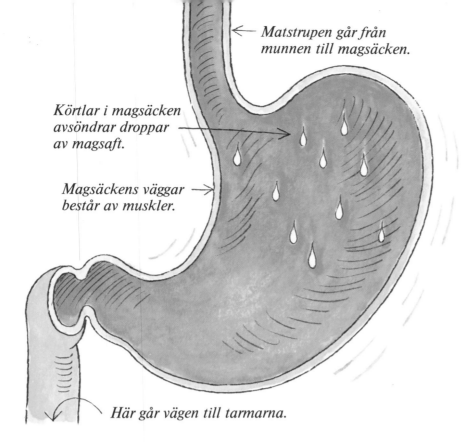

← *Matstrupen går från munnen till magsäcken.*

Körtlar i magsäcken avsöndrar droppar av magsaft.

Magsäckens väggar består av muskler.

Här går vägen till tarmarna.

MAGSÄCKEN ser ut som en påse. Väggarna består av starka muskler. Den är ungefär tjugofem centimeter lång och ligger i vänstra sidan av buken, under revbenen.

Magsäcken kan svälla upp som en ballong. När du är hungrig och inte har någon mat i magen, är den platt och skrynklig som en ouppblåst ballong. Men när den är full, efter en bastant måltid, ser den ut som en uppblåst, J-formad ballong.

Maten som kommer ner i magsäcken är redan tuggad och våt, men innan den lämnar magsäcken måste den förvandlas till en mjuk, lös smet. Nu får magsäcken ett styvt jobb. När all mat har svalts och kommit ner i magsäcken, stängs magsäcken till av en muskel i toppen och en muskel i botten på den. De här musklerna kallas slutmuskler. (En slutmuskel är som ett litet ringformat gummiband. När den är slapp, kan saker och ting passera; när den spänns, kan ingenting komma in eller ut – den sluter till.) När slutmusklerna har stängt magsäcken, är alltså maten inspärrad. Den kan inte vända tillbaka genom ingången upptill eller smita i väg genom utgången nertill.

Sen sätter magsäcken i gång med sitt arbete. Magsafter, som kommer från körtlar i magsäckens väggar, droppar över maten och löser upp den och smälter den, och de starka musklerna i magsäckens väggar knådar och ältar maten.

Efter så där en tre timmar öppnar sig slutmuskeln nertill, och magsäcksmusklerna skjuter ner smeten i tunntarmen.

Magsäcken vispar, krossar och mosar maten. Den sätter till vätska tills maten blir en lös smet.

Din magsäck tycker om vältuggad mat.

Illa tuggad mat ger magsäcken ett tungt arbete.

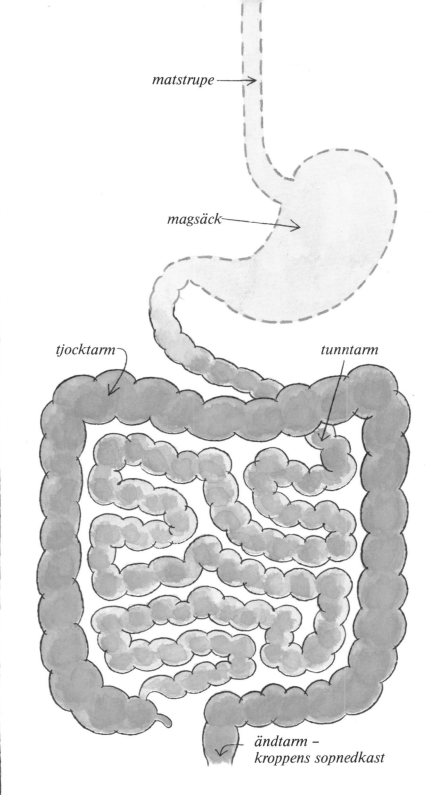

matstrupe

magsäck

tjocktarm

tunntarm

ändtarm –
kroppens sopnedkast

TARMARNA

är av två slag: tunntarmen, som är smal och mer än sex meter lång, och tjocktarmen, som är mycket vidare men knappt två meter lång. Tarmarna ligger hoprullade i buken bredvid andra organ.

Smeten som en gång var mat går nu från magsäcken in i tunntarmen. Medan den befinner sig i de första tjugofem centimeterna av tarmen, rinner galla från levern och gallblåsan och bukspott från bukspottkörteln genom ett rör in i tarmen och blandas i smeten. Nu fortsätter matsmältningen tills smeten har blivit ännu mer finfördelad. Muskler i tarmväggarna fortsätter att knåda den och maka den genom tarmen.

Tunntarmens väggar är klädda med miljoner små hårliknande utväxter som kallas tarmludd och som innehåller en mängd fina blodkärl. Medan smeten glider förbi tarmluddet, sugs nästan all den nyttiga näringen upp av blodet och förs av de små blodkärlen till större blodkärl, som sen transporterar dem runt hela kroppen.

De rester som inte tas upp av blodet, en vattnig gröt, går in i tjocktarmen, som suger upp vätska ur gröten. Återstoden har nu blivit halvfast avföring, som avlägsnas ur kroppen genom ändtarmen.

Tarmarna är ett nära nio meter långt rör. Om de var alldeles raka, skulle du behöva en jättelång kropp för att få plats med dem.

I stället ligger de ringlade precis som en orm i en korg.

47

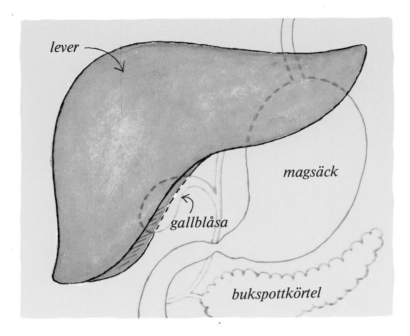

lever

magsäck

gallblåsa

bukspottkörtel

GALLBLÅSAN är en liten päronformad

säck, ungefär tio centimeter lång, som sitter på leverns undersida. Den är fästad mitt på ett rör, som kallas gallgången och som går från levern till början av tunntarmen. När det inte pågår matsmältning i tunntarmen, rinner gallan från levern genom gallgången till gall-

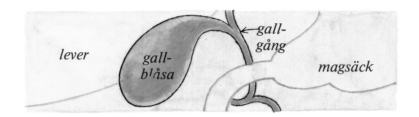

lever

gall-blåsa

gall-gång

magsäck

blåsan, där den lagras. När matsmältning pågår, pressar gallblåsan ut den lagrade gallan i tunntarmen. All galla levern gör rinner genom gallblåsan och gallgången in i tunntarmen.

LEVERN är kroppens största organ. Den väger fyra gånger så mycket som hjärtat. Den skiljer sig från de andra organen i flera avseenden: nästan alla celler i levern är exakt likadana, och om någon del av levern förstörs, växer det ut nya celler för att ersätta den förstörda delen. Levern får blod från två håll. Dels får den olika slags näring direkt från tarmen genom en stor blodåder. Och dels får den syre genom en artär från hjärtat – syre är det bränsle levern behöver för att kunna arbeta.

Levern har många uppgifter. Den är både reningsverk, fabrik och lagerlokal. När blodet har fört näringen till levern, avlägsnar levern allt som inte går att använda och gör sig av med det genom njurarna, och sen förstör den allt som är skadligt eller giftigt i näringen.

Levern renar blodet.

Den suger också upp socker ur blodet och lagrar det för framtida bruk. Så fort kroppen behöver socker, tar levern fram det ur förrådet.

LAGERLOKAL

Levern är en lagerlokal

Levern lagrar också en del vitaminer och mineraler: A-vitaminer för god syn, D-vitaminer som hjälper ben och tänder att växa och B-vitaminer och järn som behövs för att skapa röda blodkroppar. Om du äter mer vitaminer och mineraler än du behöver just då, lägger levern upp ett förråd, att användas när du behöver det längre fram.

Levern är en fabrik.

Levern tillverkar också galla, som upplöser fetter.

BUKSPOTTKÖRTELN ligger nedanför levern, bakom magsäcken. Det är en tolv-tretton centimeter lång körtel, bredare i ena änden och smalare i den andra. Den har två slags celler som utför helt olika jobb. Den ena sorten tillverkar bukspott, som rinner från bukspottkörteln in i tunntarmen. Bukspotten består av ämnen som kallas enzymer och som hjälper till att smälta nästan all den mat vi äter.

Den andra sortens celler ligger i klungor som små runda öar bland de andra cellerna. Den här sorten tillverkar ett ämne som heter insulin och skickar ut det i blodet. Insulin behövs för att kroppen ska kunna förvandla socker till energi. Det bidrar också till att reglera sockerhalten i blodet genom att hjälpa levern att lagra överskotts-socker tills kroppen behöver det.

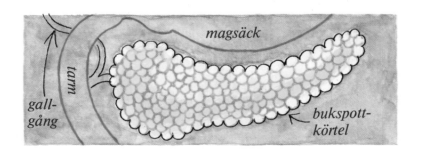

magsäck

tarm

gall-gång

bukspott-körtel

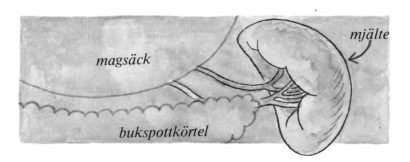

magsäck

mjälte

bukspottkörtel

MJÄLTEN ser ut som en svamp och är unge-

fär så stor som en knytnäve. Den ligger bakom mag-
säckens vänstra del och skyddas av de nedre revbenen
på vänster sida. I mjälten lagras en stor mängd reserv-
blod, rikt på röda blodkroppar. Ungefär två gånger i
minuten drar mjälten ihop sig och pressar ut lite av
blodet. Om det är mycket varmt ute eller om du tar
hård motion, blir blodet syrefattigt. Då drar mjälten
ihop sig kraftigare och skickar ut mera blod. Den
rensar också bort utslitna röda blodkroppar ur blodet
och avlägsnar skadliga bakterier och andra ämnen.

LYMFSYSTEMET består av lymfkärl

som går genom hela kroppen precis som blodkärl.
I dem finns lymfa, en vattenklar vätska som består av
plasma och vita blodkroppar. Lymfan för bort avfall
från blodkärl och vävnader.

Lymfan drivs inte runt i kroppen av en pump som
blodet av hjärtat. Det hålls i stället i gång av kroppens

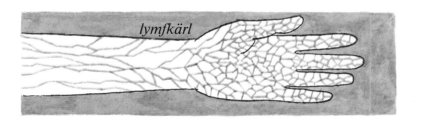

lymfkärl

rörelser. Skadliga ämnen bärs av lymfan till de små
lymfkörtlarna, där de filtreras bort.

NJURARNA ligger längst bak i buken,

på ömse sidor om ryggraden. De är bönformade och
omkring tio centimeter långa. Allt blod i kroppen pas-
serar genom njurarna, som renar det från avfall. Det
gör de genom ett filtreringssystem, som består av mil-
joner små fina blodkärl. Blodkärlen är hopklumpade
till små bollar, var och en omgiven av en tunn hinna.
Mer än en miljon små bollar bildar den yttre delen
av njurarna.

Blod från en stor artär pumpas genom de små blod-
kärlen i bollarna. Alla föroreningar silar genom blod-
kärlens väggar ut i den lilla säck som hinnan omkring
dem bildar. Det renade blodet fortsätter genom blod-
kärlen tillbaka till hjärtat. Avfallet späds ut med vatten
och blir urin (kiss), som rinner genom tunna rör in i
njurarnas ihåliga mitt. Från vardera njuren går sen ett
rör, som för urinen till urinblåsan.

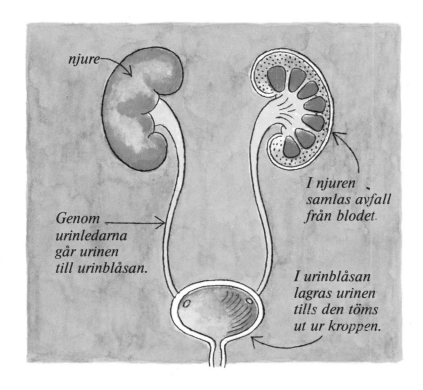

njure

Genom
urinledarna
går urinen
till urinblåsan.

I njuren
samlas avfall
från blodet.

I urinblåsan
lagras urinen
tills den töms
ut ur kroppen.

URINBLÅSAN ligger i bukens nedre

del. Det är en ihålig säck med starka muskler i väggarna.
Den kan utvidgas tills den rymmer ända upp till en
halv liter urin. Från urinblåsan går ett rör, som för ut
urinen ur kroppen. En slutmuskel runt blåsans nedre
öppning hindrar urinen från att rinna ut i otid. När
urinblåsan är halvfull, brukar man känna sig kissnödig.

När du kissar, slappnar slutmuskeln, urinblåsan drar
ihop sig, och urinen drivs ut ur kroppen. Det här går
automatiskt så länge vi är spädbarn, men sen lär vi oss
att kontrollera det själva. Det kommer bara ungefär
femton droppar urin i minuten från njurarna, men per
dag blir det mer än en liter som urinblåsan måste göra
sig av med.

mineraler *kolhydrater* *äggviteämnen (proteiner)*

äggviteämnen (proteiner) *mineraler*

Den MAT du äter måste vara av många olika slag för att du ska hålla dig frisk och stark. Du behöver mat som hjälper dig att växa, mat som hindrar dig från att bli sjuk och mat som ger dig energi. Du måste äta så många olika sorters mat, därför att varje sort bara kan ge dig en del av det du behöver – ingen mat innehåller alla de äggviteämnen, vitaminer, mineraler, kolhydrater och fetter som är nödvändiga för din kropp. En måltid ska inte bara se god ut och lukta och smaka gott – den måste också vara riktigt sammansatt, så att du får mat som bygger upp din kropp, mat som ger dig energi och mat som hjälper dig att behålla hälsan.

för att kroppen ska kunna växa och läka sår och andra skador

ÄGGVITEÄMNEN (proteiner) är

kroppens viktigaste byggmaterial – du behöver mycket protein medan du växer. Varenda cell i din kropp måste ha protein för att kunna bygga *fler* celler. Ju fortare du växer, desto mer protein behöver du. Också sen du har slutat växa behöver du protein för att din kropp ska kunna bygga nya celler i stället för dem som har slitits ut eller förstörts. Animalisk föda – kött, fisk, fågel, ägg, mjölk och ost – är de bästa proteinkällorna. Bönor, ärter och nötter av alla slag är också rika på protein.

för att kroppen ska hålla sig frisk

VITAMINER och MINERALER

håller dig frisk och hjälper dig att motstå infektioner, förkylningar och andra sjukdomar. De behövs också för att benen i din kropp och dina tänder ska bli starka och för att du ska få god aptit och god matsmältning. De behövs för att bygga upp ditt blodförråd och för att få skärsår och krossår att läkas fort när du gör dig illa. Rika på vitaminer och mineraler är alla slags sallader, grönsaker, frukt, fruktjuicer och torkad frukt samt lever och njure.

för att kroppen ska få tillräckligt med energi

KOLHYDRATER och FETTER

ger din kropp den energi som behövs när du arbetar eller leker. Protein ger dig också energi, men om du äter tillräckligt mycket kolhydrater och fetter kan proteinet sparas för den viktiga uppbyggnaden av kroppen. Goda kolhydratkällor är bröd, potatis, spaghetti, makaroner, ris, socker och andra söta saker (men de flesta sötsaker är inte bra för tänderna). Fetter får du till exempel av smör, margarin, matolja och en del salladssåser.

VITAMINERNA

VITAMINERNA är så viktiga att vi måste tala mer om dem. Man har vetat länge att de är nödvändiga för balansen i människokroppen. De griper in i många livsprocesser och reglerar cellernas tillväxt och olika organs funktion. Om det fattas vitaminer, rubbas kroppens jämvikt, så att den inte fungerar bra. Det blir störningar och förändringar som kan gå över i verklig sjukdom – man lider av vitaminbrist.

I vår vanliga föda finns det tillräckligt av alla de vitaminer vi känner till. Om vi bara äter ordentligt och omväxlande, så kan vi vara säkra på att vi får så mycket vitaminer som behövs för vår hälsa.

A-vitaminet kommer ur karotin, som är färgämnet i många röda och orangefärgade grönsaker (morötter, tomater...). Smör, mjölk och ägg är fina A-vitaminkällor, för korna och hönsen har redan bildat A-vitamin av karotin i sina organismer. Frukt och kött innehåller en större eller mindre mängd karotin, som kroppen sen förvandlar till vitamin A. Ett av symtomen på A-vitaminbrist är att man får svårt att se i mörker. De födoämnen som är rikast på A-vitamin är råa morötter, kål, betor och persilja.

B-vitamin är egentligen flera olika vitaminer som har en del gemensamt. Vitamin B$_1$ är viktigt för jämvikten i nervsystemet. Det får oss att må bra och gör oss aktiva. Det finns framför allt i ärtskidor, fruktskal och på utsidan av födoämnen. Därför är det bra att äta

... och maten i de här kartongerna och burkarna blir hund.

oskalad mat. Fullkorn, det vill säga mjöl som innehåller hela sädeskornet, också skalet, är rikt på detta

En del av den mat vi äter används till att göra nya celler. Den blir alltså en del av oss ...

Gräset och höet som kon äter blir ko ...

vitamin, liksom nötter och jordnötter (men deras skal går förstås inte att äta), ärter och bönor.

Vitamin B$_2$ finns i tomater, apelsiner, ägg. Det hjälper kroppen att bilda något som kallas det gula andningsfermentet och som är nödvändigt för cellernas liv. Av brist på B$_2$-vitamin får man bland annat sprickor i mungiporna.

C-vitaminet är mycket viktigt för vår hälsa, därför att det förebygger och bekämpar infektioner. Brist på C-vitamin kan vålla förändringar i blodet och ofta också reumatiska åkommor. C-vitamin finns i apelsiner, grapefrukt, citroner, tomater, jordgubbar, potatis och råa grönsaker. Det är ett ömtåligt vitamin som förstörs fort, om det kommer i kontakt med luft. Därför är det bäst att dricka till exempel apelsinjuice så fort man har pressat apelsinen. En halvtimme efteråt har C-vitaminet dunstat bort.

D-vitaminet bekämpar sjukdomen rakitis genom att binda kalk i kroppen. Det är kroppen själv som bildar D-vitamin, när huden blir belyst av de ultravioletta strålarna i solljuset. En del ämnen, som inte själva innehåller D-vitamin, kan bilda det vid solbelysning. D-vitamin finns i fiskleverolja, mjölk, i feta fiskar som sill och sardiner samt i äggula.

E-vitaminet är bra för fruktsamheten. Brist på sådant vitamin kan faktiskt göra både män och kvinnor sterila, så att de inte kan få barn. Det finns i grönsaker, sädeskorn, fullkorn, apelsiner, bananer och sallad.

K-vitaminet hjälper blodet att koagulera (så att sår slutar blöda) och finns i spenat, morötter, ärter, svamp och rödbetor.

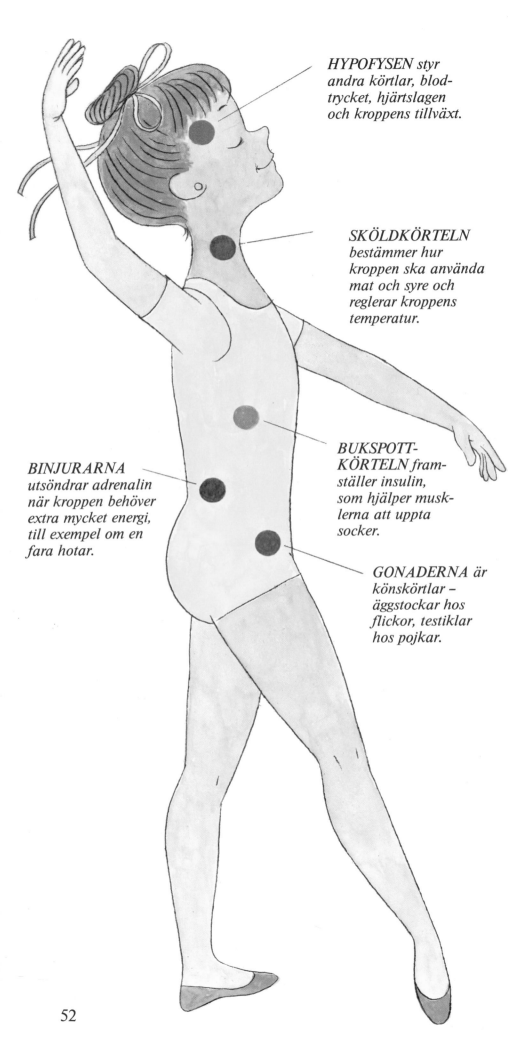

HYPOFYSEN *styr andra körtlar, blod-tryckt, hjärtslagen och kroppens tillväxt.*

SKÖLDKÖRTELN *bestämmer hur kroppen ska använda mat och syre och reglerar kroppens temperatur.*

BINJURARNA *utsöndrar adrenalin när kroppen behöver extra mycket energi, till exempel om en fara hotar.*

BUKSPOTT-KÖRTELN *fram-ställer insulin, som hjälper musk-lerna att uppta socker.*

GONADERNA *är könskörtlar – äggstockar hos flickor, testiklar hos pojkar.*

DE ENDOKRINA KÖRTLARNA

framställer kemiska ämnen, så kallade hormoner, som kontrollerar organ i andra delar av kroppen. Körtlarna avger sina hormoner i blodet, som för dem till den plats i kroppen där de ska arbeta.

Hypofysen är den viktigaste av de här körtlarna. Den är stor som en vindruva och hänger under hjärnan över näshålan. Ett av hypofysens hormoner styr till-verkningen av hormoner i de andra endokrina kört-larna. Andra hormoner från hypofysen reglerar blod-tryck och hjärtslag, åter andra bestämmer hur fort din kropp ska växa – ett hormon kontrollerar hur mycket urin njurarna framställer.

Sköldkörteln sitter framtill i halsen. Dess hormoner kontrollerar hur snabbt kroppen förbrukar näring och syre. De reglerar också kroppstemperaturen.

Bukspottkörteln producerar insulin, det hormon som hjälper musklerna att förvandla socker till energi.

De båda binjurarna sitter upptill på vardera njuren. De avsöndrar adrenalin. När du blir så rädd att du vill springa bort från något eller någon eller så arg att du vill slåss, kommer adrenalinet till din hjälp. Det får ditt hjärta att slå fortare och skickar i väg mera blod med näring och syre till de muskler som behöver det. Det tvingar dig att andas fortare. Plötsligt har du fått mer energi.

Pojkars könskörtlar kallas testiklar och flickors köns-körtlar kallas äggstockar. När pojkar och flickor kom-mer upp i tonåren, börjar deras könskörtlar producera hormoner. En pojkes hormoner gör honom bredare över axlarna än om höfterna, han får skägg och hår på kroppen, och hans röst blir djupare. Flickans hor-moner gör henne bredare om höfterna än över axlarna, hennes bröst växer ut, och hennes röst blir lite fylligare. Hon får också fjun på kroppen, men hon får inte skägg.

Om hypofysen arbetar för mycket, får man en jätte.

Hans sköldkörtel arbetar för lite . . .

. . . och hans för mycket.

Binjurarna är bra att ha i farliga situationer.

Adrenalinet kommer till hjälp.

Om småpojkar och småflickor är likadant klädda och likadant klippta, är det svårt att se skillnad på dem.

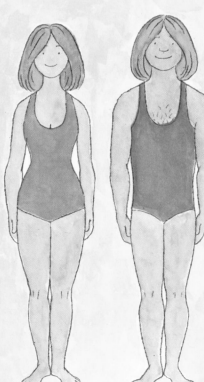

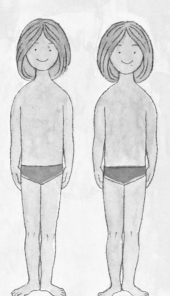

Men allteftersom de växer upp förändras deras kroppar genom hypofysen och könskörtlarna. Nu är det lätt att se skillnad på dem.

Om hypofysen arbetar för lite, får man en dvärg.

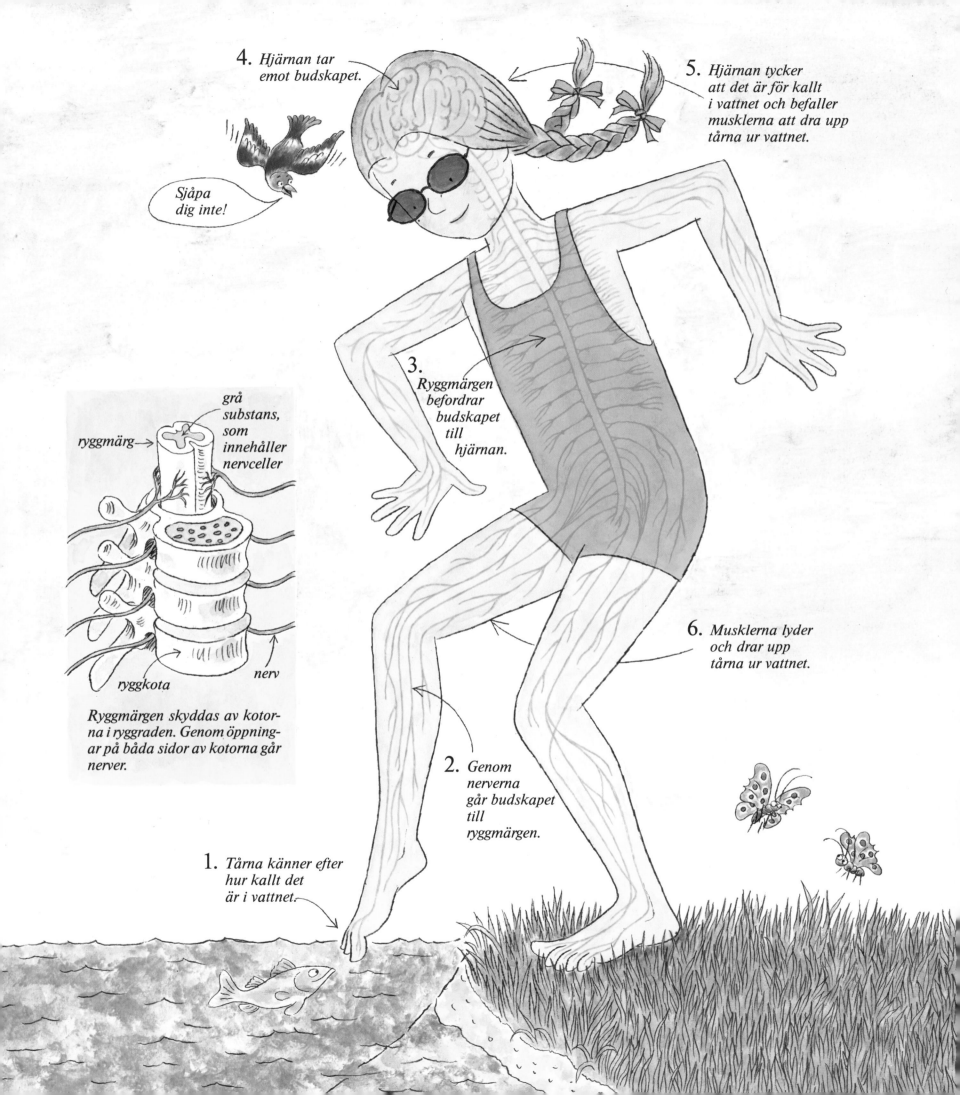

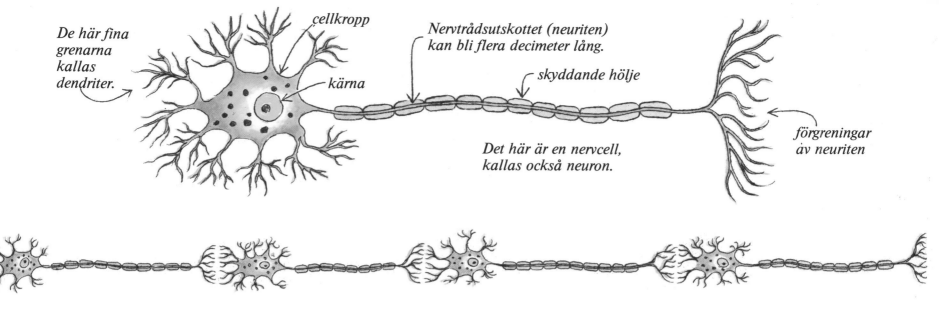

De här fina grenarna kallas dendriter.

cellkropp

kärna

Nervtrådsutskottet (neuriten) kan bli flera decimeter lång.

skyddande hölje

Det här är en nervcell, kallas också neuron.

förgreningar av neuriten

Så här går budskapet från den ena nerven till den andra ända tills det når hjärnan.

NERVSYSTEMET

består av tre huvuddelar: hjärnan, ryggmärgen och nerverna. Hjärnan är centralen i kroppens fantastiska kommunikationssystem. Den tar emot upplysningar genom nerverna, och antingen lägger den in upplysningarna i sina förråd eller också ger den kroppen order att göra något.

Ryggmärgen är en drygt en centimeter tjock kabel som går från hjärnan genom den kanal som hålen i ryggkotorna bildar. Från ryggmärgen strålar nerver ut till nästan alla delar av kroppen, men till ögon, öron och andra delar av huvudet går nerver direkt från hjärnan.

Det finns två slags nerver – de som bär budskap till ryggmärgen och hjärnan och de som överbringar befallningar från hjärnan och ryggmärgen. Ett budskap från huden på dina tår till hjärnan kanske låter så här: "Det är kallt i vattnet." Budskapet från dina tår skickas genom en nerv till ryggmärgen och genom den vidare upp till hjärnan. Hjärnan utfärdar en order: "Dra upp tårna ur vattnet", och ordern går ner genom ryggmärgen och längs en nerv till den benmuskel, som kan dra upp tårna ur vattnet.

Varje nervcell eller neuron, som den också kallas, har ett grenverk av nervspetsar i mottagaränden och ett rör som kallas nervtrådsutskottet eller neuriten i sändaränden. Också nervtrådsutskottet grenar sig i spetsen. Cellen tar emot budskap från de greniga nervspetsarna och skickar det vidare genom nervtrådsutskottet. Från utskottets små grenar tar budskapet ett litet skutt över till de greniga nervspetsarna på nästa cell. Så skickas budskapet från cell till cell, tills det har nått bestämmelseorten.

Ibland gäller det att handla fort. Om du kommer åt en glödhet kastrull, går budskapet bara till ryggmärgen som genast ger en armmuskel order att dra bort handen från kastrullen. Det kallas en reflexrörelse. Om budskapet hade måst gå hela vägen ända upp till hjärnan och ordern att släppa kastrullen hade måst göra hela den långa resan tillbaka, så hade du kanske hunnit bränna dig. Andra reflexrörelser är att blinka och att sparka till med benet när doktorn knackar dig under knät med sin hammare.

En reflexrörelse: impulsen går från huden till ryggmärgen, som säger åt musklerna: "Hoppa!"

häftstift

Här har du andra exempel på reflexrörelser – rörelser som du gör utan att tänka.

sparkar

nyser

släpper en het kastrull

För många år sen fanns det folk som trodde att de kunde säga precis var i hjärnan olika egenskaper satt. Om en person alltid skojade, ansåg de att skoj-delen av hans hjärna måste vara större och att hans skalle måste bukta ut just där skoj-delen satt. Man behövde bara känna på en människas knölar i huvudet för att kunna säga exakt hurdan hon var.

HJÄRNAN får plats i skallen, som också

skyddar den. Men hur liten den än är, är den sinnrikare byggd och kan utföra mer komplicerade saker än den största dator. Hjärnan är uppbyggd av miljarder nervceller och består av tre huvuddelar. Varje del har sina uppgifter men samarbetar också med de andra delarna.

Stora hjärnan är den största delen – det hörs ju på namnet. Den är också den viktigaste. Alla dina tankar och alla dina känslor som till exempel vrede, glädje och sorg uppstår i stora hjärnan. I den är även dina minnen lagrade. Alla upplysningar som dina sinnen samlar in går till stora hjärnan, som sen säger åt kroppen hur den ska bära sig åt. Stora hjärnan består av två halvor. Underligt nog kontrolleras vänstra sidan av kroppen av högra hjärnhalvan, medan vänstra hjärnhalvan styr högra sidan av kroppen.

Lilla hjärnan sitter under stora hjärnans bakre del.

Den sköter de kroppsrörelser du gör utan att tänka på det. Att gå är ett bra exempel. I början, innan du hade lärt dig riktigt, var det svårt och du ramlade ideligen. Nu kan du balansera och göra de mest invecklade muskelrörelser utan att ägna det en tanke. Din lilla hjärna styr din balans och samspelet mellan dina muskler.

Förlängda märgen, som förenar stora hjärnan med ryggmärgen, består av flera små men viktiga delar. Thalamus mottar budskap om smärta, hetta och köld och skickar dem vidare. Hypothalamus reglerar kroppstemperatur, hunger och törst. Mellanhjärnan bestämmer hur ögonen ska röra sig. Pons eller bryggan befordrar budskap mellan hjärnans delar. Förlängda märgen styr en del automatiska kroppsfunktioner som till exempel andning och hjärtslag.

en skräcködlas hjärna

människohjärna

Människan har en av de största hjärnorna i förhållande till sin kroppsstorlek av alla djur som nånsin har funnits.

Hur klyftig var egentligen skräcködlan?

56

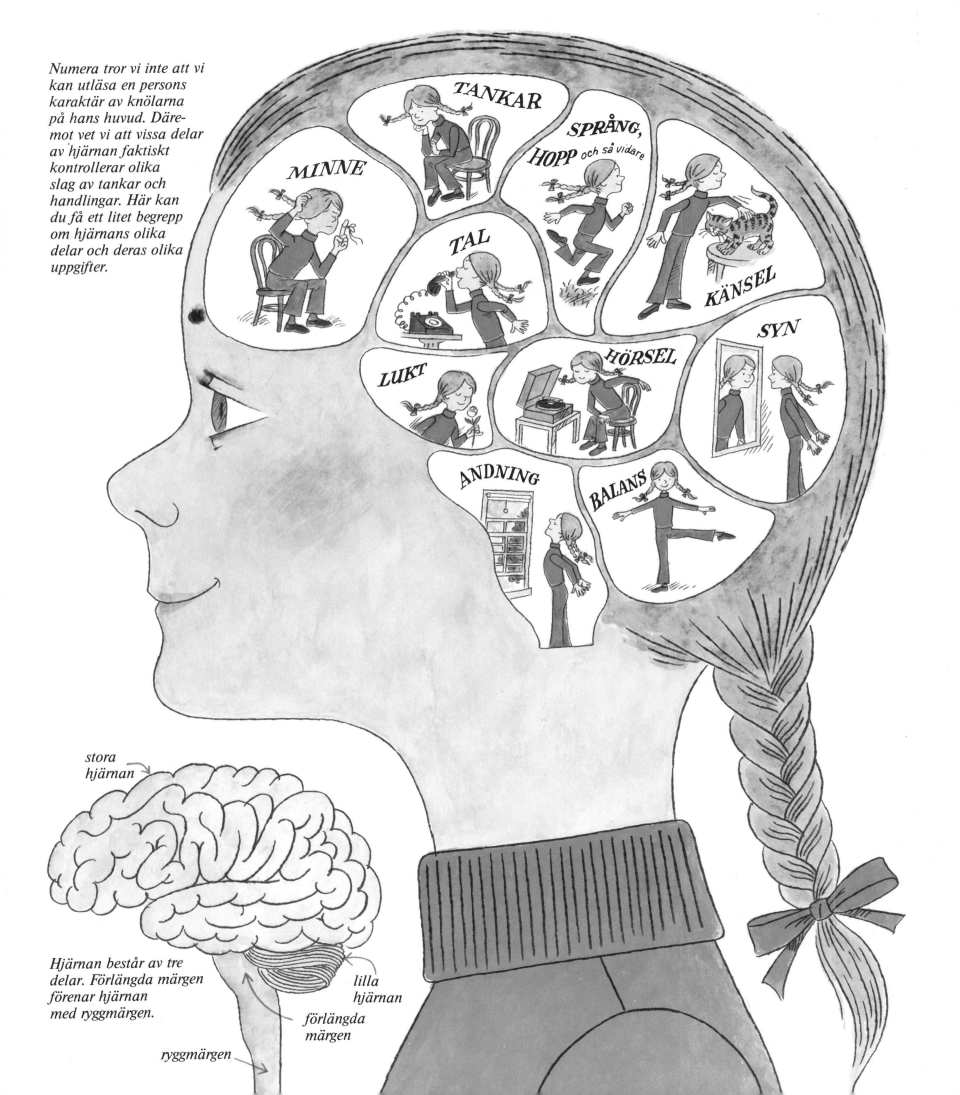

Numera tror vi inte att vi kan utläsa en persons karaktär av knölarna på hans huvud. Däremot vet vi att vissa delar av hjärnan faktiskt kontrollerar olika slag av tankar och handlingar. Här kan du få ett litet begrepp om hjärnans olika delar och deras olika uppgifter.

TANKAR

SPRÅNG, HOPP och så vidare

MINNE

TAL

KÄNSEL

SYN

LUKT

HÖRSEL

ANDNING

BALANS

stora hjärnan

Hjärnan består av tre delar. Förlängda märgen förenar hjärnan med ryggmärgen.

lilla hjärnan

förlängda märgen

ryggmärgen

Hjärnan kan lagra fler upplysningar än den mest invecklade dator.

MULTIPLIKATION

HISTORIA

DIVISION

GEOGRAFI

ADDITION

GRAMMATIK

SUBTRAKTION

Läraren har också en jättedator full med upplysningar i sin hjärna.

KUNSKAPER får du genom att dina sinnen (syn, hörsel, känsel, lukt och smak) samlar in upplysningar ock skickar dem till hjärnan, som lagrar dem för framtida behov. Upplysningarna kan gälla vad som helst: hur man gör något (spela flöjt) eller hur man ska uppföra sig (inte glömma att säga "tack"). De kan också vara fakta (din nya väns namn och adress).

Allt vi vet ligger lagrat i hjärnan. Men vi vet inte exakt vad som händer i hjärnan när någon lär sig något. En nyfödd baby kan inte tala eller förstå ord. Den "vet" ingenting. Och ändå lär den så fort att den redan i ettårsåldern kan gå, tala, känna igen folk och leka enkla lekar.

Allteftersom barn växer upp, lär de sig läsa och skriva, spela fotboll, baka kakor. Snart har deras hjärnor samlat in stora förråd av kunskaper, som ligger färdiga att användas med ett ögonblicks varsel. Den här inlärningsprocessen pågår hela livet. Till och med vuxna lär sig något nytt varje dag.

Vetenskapsmännen har många teorier om hur det går till, när hjärnans miljoner celler lagrar alla upplysningar eller tar fram dem ur förrådet när vi vill använda dem eller "komma ihåg" dem. En del vetenskapsmän har jämfört hjärnan med en bandspelare, som tar upp och spelar om alla meddelanden från våra sinnen. Andra har tänkt sig hjärnan som en otroligt invecklad dator – hjärnan "minns" miljoner saker precis som en dator.

Undersökningar har visat att vi lär oss bäst när det vi ska lära oss är intressant och viktigt för oss, att det är bra att ta många raster medan man lär sig något – fem eller tio minuter i timmen, och att folk ofta lär sig lättare om de arbetar i grupper, för då kan de lära av varandras misstag.

Undersökningar har också visat hur snabbt barn lär sig genom att härma. De lär sig tala genom att härma de ljud som äldre barn och vuxna gör. Vid tre eller fyra års ålder har de lärt sig en massa ord enbart genom härmning, trots att de inte kan läsa och inte har en aning om grammatik.

EXPERIMENT med djur för att ta reda på vad de kan lära sig och hur de lär sig det hjälper vetenskapsmännen att förstå hur det går till när människor lär sig något. Här är några exempel:

En HUND dreglar (det vill säga, det vattnas i munnen på honom) när han får mat eller när han ser eller känner lukten av mat som han tycker om. Det är likadant med människor när de ser eller rentav bara tänker på god mat.

Den ryske forskaren Ivan Pavlov gjorde följande experiment. Han började med att mata en hund på sitt laboratorium. Var gång hunden fick mat reagerade den på samma sätt: den dreglade. Efter en tid började Pavlov ringa i en klocka när han kom in med mat till hunden. Till sist dreglade hunden så fort klockan ringde, även om den inte fick någon mat. Pavlov hade lärt hunden dregla när den hörde en klocka ringa.

En VIT RÅTTA kan man väl inte lära några cirkuskonster, säger du kanske. Och ändå har psykologen Loh Seng Tsai lyckats lära sina råttor på laboratoriet att göra flera mycket svåra tricks. Det här är ett av dem.

Loh Seng Tsai spikade fast en hylla på en vägg, så högt upp att råttan inte kunde hoppa upp på den. På väggen mitt emot satte han upp en annan hylla och la en ostbit på den. Sen hängde han upp en korg i taket mitt emellan hyllorna, som en liten gunga. Korgen kunde halas in till den första hyllan med ett snöre som hade knutits fast i korgen.

Mycket snart hade en vit råtta lärt sig att klättra uppför en stege till den första hyllan, hala in korgen, sätta sig i den och gunga över till hyllan mitt emot för att få sin belöning – ostbiten!

En BLÄCKFISK kan lära sig se skillnad på en vågrät figur och en lodrät figur. Så här går det till:

Två krabbor, bläckfiskens älsklingsmat, fästs på två pinnar. På den ena sätts en vågrät platta och på den andra en lodrät. Bläckfisken bryr sig inte om plattorna utan äter båda krabborna.

Sen leds en svag elektrisk ström genom pinnen och krabban med den lodräta plattan, så att var gång bläckfisken försöker äta upp den krabban, får den en liten stöt. Snart har den lärt sig att undvika krabbor med lodräta plattor och bara äta krabbor med vågräta plattor.

KVACK!

KVACK! KVACK!

En nykläckt ANKUNGE kan läras att följa en människa som snattrar som en anka. Den följer också en ask eller vilket föremål som helst som låter, bara inte föremålet är för stort eller för litet. Och sen följer ankungen den personen eller det föremålet i hela sitt liv.

Men ankungen måste vara alldeles nykläckt. Bara ett par dar efter födelsen kan den inte längre lockas att följa någon eller något annat än sin egen mor.

Det här vet vi genom de undersökningar som Konrad Lorenz har gjort – han studerar och experimenterar med djur i deras naturliga omgivning.

61

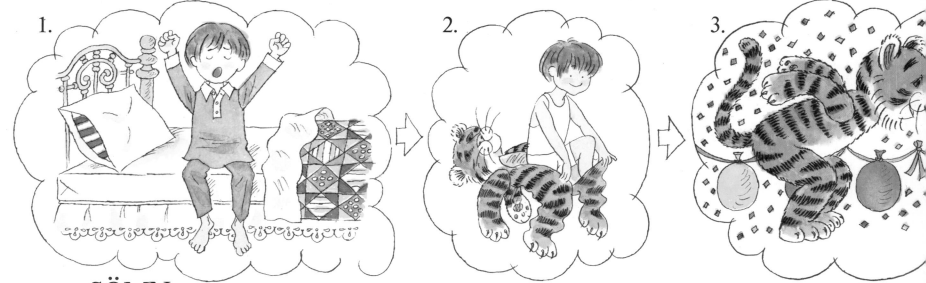

1.   2.   3.

SÖMN är absolut nödvändigt för hälsan. Människor som hindras från att sova en längre tid (som ett experiment) blir förvirrade och kan inte tänka klart.

En nyfödd sover ungefär arton timmar om dygnet. Ju äldre den blir, dess mindre sömn behöver den. Barn behöver i allmänhet tio-tolv timmars sömn per natt och vuxna omkring åtta.

När du sover, slappnar dina muskler av, och hjärtslag och andning blir långsammare. Hela din kropp vilar. Men den fortsätter att växa och ersätta eller laga slitna eller skadade vävnader.

Du ändrar ställning medan du sover, omkring trettio gånger per natt, så att du inte tynger hela natten på samma kroppsdel. På så vis får alla dina muskler vila, och ditt blod kan cirkulera fritt.

När vi är trötta och det är nära läggdags, gäspar vi ofta. Det är en reflexrörelse som vi inte kan behärska, och den betyder vanligen att vi behöver sova. Det är möjligt att vi gäspar för att hålla oss vakna – för att ta in mera syre, öka blodcirkulationen och ge musklerna nya krafter.

3. 2. 1.

Du **DRÖMMER** varje natt, även om du inte kommer ihåg det när du vaknar. Och du drömmer mer än en dröm per natt. Det har vetenskapsmännen upptäckt genom olika experiment. De vet nu att snabba ögonrörelser under en sovande människas slutna ögonlock betyder att den människan drömmer. Genom att studera ögonrörelserna hos sovande har vetenskapsmännen kunnat konstatera att folk drömmer mellan fyra och sex gånger varje natt, att drömmarna blir längre och längre (den första varar i ungefär tio minuter och den sista omkring fyrtio), att kvinnor drömmer mer än män och att barn drömmer mer än vuxna. De vet också att fler människor drömmer i svart-vitt än i färg.

En del drömmar är vackra, somliga är lustiga och får dig att skratta i sömnen, och några är sorgliga. Mycket hemska drömmar kallas mardrömmar. Om du vaknar ur en mardröm, ska du säga till dig själv att drömmar bara är drömmar: även om verkliga människor och saker förekommer i dem, så är händelserna i dem inte verkliga.

SYNEN upplyser dig om avstånd, färg, ljus och mörker.

LUKTEN säger dig om något doftar eller stinker.

Genom våra SINNEN blir vi medvetna om oss själva och allt omkring oss. Genom dem kan vi se, lukta, smaka, höra, känna, hålla balansen samt känna smärta, hetta och kyla.

Utan våra sinnen skulle vi ha svårt att klara oss. Tack vare synen kan vi läsa, känna igen våra vänner, fånga en boll och ta oss oskadda över gatan. Lukt och smak gör det roligt att äta; de varnar oss också för det som luktar och smakar illa och som kanske inte är bra för oss. Med hörseln njuter vi av musik och lyssnar till andra människors tankar. Känseln säger oss att det är skönt att smeka en len mjuk kattunge eller krama någon som vi tycker om. Om vi inte hade något balanssinne, skulle vi ramla så fort vi rörde på oss. Vi behöver smärtsinnet och sinnet för kallt och varmt – de säger till när vi har gjort oss illa eller håller på att bli sjuka och varnar oss när något är för kallt eller för varmt.

Att leva utan alla sinnen skulle knappast gå, men det finns människor som saknar ett eller två sinnen men ändå klarar sig fint. Människohjärnan kan nästan alltid lära sig att reda sig med de sinnen den har. Blinda använder hörsel och känsel för att känna igen folk och ta sig fram både inom- och utomhus. Döva kan använda ögonen – de kan prata med andra genom att läsa på deras läppar och begagna teckenspråk.

Din hjärna gör nästan alltid ett urval av de intryck som strömmar in i den – den väljer ut dem som är viktiga just för ögonblicket. Om du går på en livligt trafikerad gata, ger du säkert mera akt på bilarna och människorna än på solen som lyser på himlen. Det är din hjärna som riktar in din uppmärksamhet på det som är mest betydelsefullt för dig. Om du läser och någon annan ser på tv, så hjälper dig hjärnan att koncentrera dig genom att dämpa ljuden från tv-n.

Blindbock 1. Kan KÄNSELN säga henne vem som är vem?

Blindbock 2. Kan SMAKEN tala om vilken glass som smakar choklad?

Vad händer runt omkring dig? Din HÖRSEL kan berätta   *en hel del. Lyssna bara!*

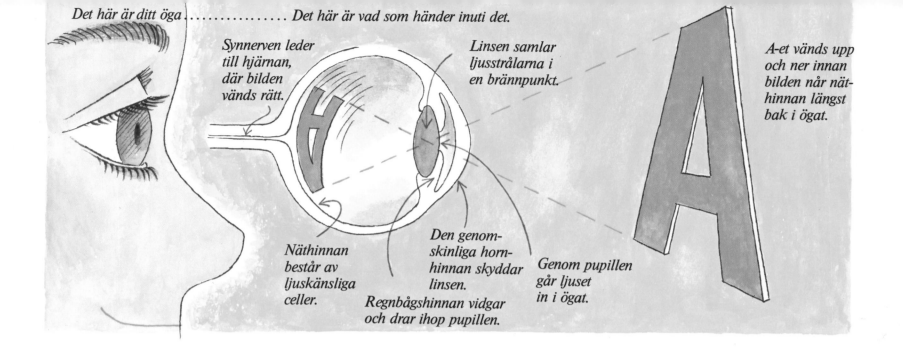

SYN uppstår när ljusstrålar faller in i ögat och retar nerver att skicka signaler till hjärnan.

Ljusstrålarna kommer in i ögat genom linsen, som samlar dem och bryter ihop dem till en ljus bild på näthinnan längst bak i ögat. Näthinnan består av ett lager mycket fina och ljuskänsliga nervceller. De reagerar för ljuset och skickar signaler längs synnerven, som går från ögonbotten in i hjärnan. Hjärnan tar emot signalerna och översätter dem till en bild.

När du tittar på dina ögon i spegeln, ser du bara en del av dem. Egentligen är de formade som kulor. De skyddas av skallen och av ett yttre skikt av stark vit vävnad. Den klara hornhinnan framtill är en del av det skiktet. Den skyddar linsen.

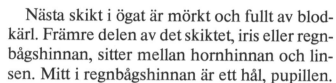

En kamera är som ett öga.

Nästa skikt i ögat är mörkt och fullt av blodkärl. Främre delen av det skiktet, iris eller regnbågshinnan, sitter mellan hornhinnan och linsen. Mitt i regnbågshinnan är ett hål, pupillen. I regnbågshinnan sitter också muskler som kan vidga eller dra ihop pupillen, så att lagom med ljus kommer in till linsen. Regnbågshinnans färg skiftar – den kan vara blå, grå, brun och så vidare, det vill säga vi har blå ögon, grå ögon, bruna ögon och så vidare.

Innanför pupillen sitter linsen. Muskler som går från linsen till ögats tjocka ytterskikt ställer om linsen (gör den tjockare eller smalare), så att bilden träffar exakt på näthinnan, antingen ljusstrålarna kommer från föremål på långt håll eller föremål på nära håll.

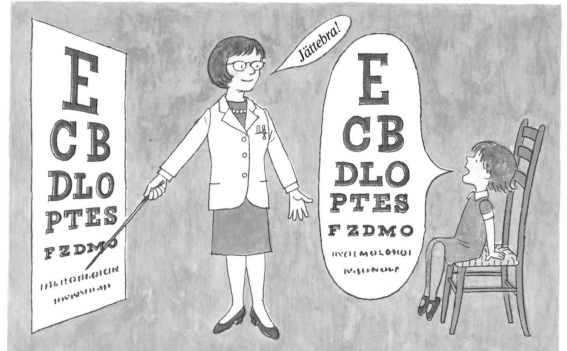

muskler

Du kan röra ögonen upp och ner, åt höger och åt vänster, ja, till och med rulla med dem. Sex små muskler, som är fästade på ögat, gör hela jobbet.

Det tredje skiktet, insidan av ögat, är näthinnan med alla sina ljuskänsliga celler.

Ögat är fyllt av ett klart, geléliknande ämne, som dels bidrar till att bryta ihop ljusstrålarna, dels hjälper ögat att hålla sin form.

Varje öga har två ögonlock, ett övre och ett undre, som skydd. I de övre ögonlocken sitter en liten tårkörtel, och det är från den våra tårar kommer. Tårar är inte bara till för att gråta med – de håller också dina ögon fuktiga och rena. Ögonlocken blinkar ungefär tjugo gånger i minuten – det är för att ta bort damm och hindra ögonen från att torka.

Är du högerögd eller vänsterögd?
Peka på en liten punkt med båda ögonen öppna. Håll kvar handen och blunda med vänster öga. Om du fortfarande pekar på samma punkt är du högerögd. Om inte, är du vänsterögd.

När du ser suddigt på långt håll, är du närsynt.

När du ser suddigt på nära håll, är du långsynt.

Med olika slags glasögon får både närsynta och långsynta bättre syn.

67

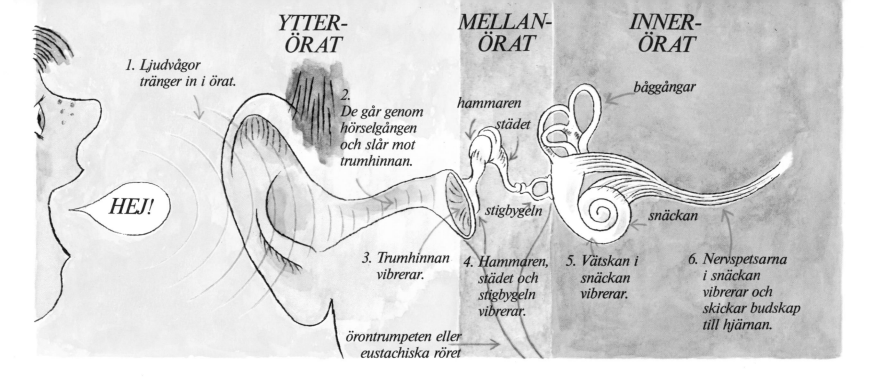

1. Ljudvågor tränger in i örat.

2. De går genom hörselgången och slår mot trumhinnan.

båggångar

hammaren

städet

HEJ!

stigbygeln

snäckan

3. Trumhinnan vibrerar.

4. Hammaren, städet och stigbygeln vibrerar.

5. Vätskan i snäckan vibrerar.

6. Nervspetsarna i snäckan vibrerar och skickar budskap till hjärnan.

örontrumpeten eller eustachiska röret

HÖRSEL

HÖRSEL – tre delar av örat samarbetar för att du ska höra: *ytterörat,* det vill säga den del av örat som du ser, samt hörselgången och trumhinnan; *mellanörat,* som består av tre små ben som kallas hammaren, städet och stigbygeln, och till sist en del av *innerörat,* den snigelformade snäckan.

När en människa talar, vibrerar hennes stämband vilket i sin tur sätter luften kring stämbanden i dallring. När någon spelar piano, vibrerar strängarna, vilket sätter luften omkring dem i dallring. Alla ljud får luften att vibrera i vågor som sprider sig i ringar precis som ringarna på vattnet, när du har kastat i en sten. Vågorna blir kortare eller längre beroende på vad det är som framkallar ljudet. Ett högt ljud ger kortare vågor. Ett lågt ljud ger längre vågor.

Ljudvågorna samlas in av den del av örat som sitter utanpå huvudet, går in i hörselgången och slår mot trumhinnan, som sätts i dallring, snabbare för höga ljud och långsammare för låga ljud. Trumhinnans dallring fortplantas till hammaren. Hammarens dallringar fortplantas till städet, städets dallringar fortplantas till stigbygeln, och stigbygeln skickar dallringarna vidare till snäckan.

Snäckan är fylld med en vätska, och i den vätskan finns tusentals hårfina nervspetsar. En del av dem tar upp de höga ljudens snabbare vibrationer, andra tar upp de låga ljudens långsammare vibrationer. Alla dessa olika vibrationer går sen genom hörselnerverna till hjärnan, som tolkar dem som olika ljud.

Örat kan urskilja en mängd olika sorters ljud. Det starkaste kan vara miljoner gånger starkare än det svagaste.

R-R-ROAR

piip

*De 3 båggångarna,
som är fyllda
med vätska,
ligger i 3 olika plan...*

...så här

BALANSEN sköts av tre små böjda benrör, de så kallade båggångarna. De ligger djupt inne i innerörat. Varje rör är fyllt med vätska, och vid dess slut sitter många nervspetsar. De tre rören har olika lägen: ett står upprätt, ett ligger på sidan, och ett ligger på magen. När du står eller sitter, talar nervspetsarna i rören om för hjärnan att din kropp är i balans. När du böjer dig framåt eller bakåt eller åt sidan, rör sig vätskan i rören och ändrar nervspetsarnas läge precis som vassen vaggar när vågorna slår mot stranden, och genast meddelar nervspetsarna hjärnan hur deras läge har förändrats. Beroende på hur du rör dig kommer nervspetsarna i ett rör att rubbas mera än i de andra, och så får hjärnan bud om att du lutar dig

för mycket åt ena eller andra hållet. Hjärnan ger då order till kroppen att ändra ställning, så att du får tillbaka jämvikten innan du faller.

Ibland får båggångarna för mycket att göra. Om du snurrar runt runt, slår vätskan i båggångarna om och om igen mot nervspetsarna, de blir utarbetade och du blir yr i huvudet. Ungefär så går det till när folk blir sjösjuka. När fartyget gungar och rullar, ändras passagerarnas läge så ofta att deras båggångar inte orkar med att rapportera alla förändringar, och så blir passagerarna illamående och en del kräks.

*Utan dina båggångar
skulle du inte kunna hålla balansen.
Det är de som skickar signaler till
hjärnan, när du råkar ur jämvikt.*

Hundar har mycket bättre väderkorn än människor. De kan spåra upp folk bara på lukten.

Ditt sinne för LUKT börjar fungera när fina partiklar av det du luktar på når två känsliga ställen inne i näsan. Ställena sitter i taket på den gång som leder från näsborrarna till strupen, och inom vart och ett av de här områdena sticker tusentals mycket korta hårliknande nervspetsar ut i luftgångarna. En del av nervspetsarna reagerar för vissa partiklar, andra för andra.

Om någon lagar mat i ett kök, tränger partiklar av mat, så små att de inte syns, ut ur köket. Det kan vara partiklar av soppa, stekt kyckling eller äppelkaka. De tränger in i din näsa, och vissa nervspetsar tar emot budskapet och skickar det vidare till hjärnans luktcentrum: "Middan är serverad!" Sen skickar hjärnan ut sina budskap: "Tvätta händerna och sätt dig till bords!" och "Koppla på magsafterna!"

Vad som skiljer luktsinnet från de andra sinnena är att det tröttnar så fort. Om du luktar på något, tycks det sluta lukta efter en stund. När du kommer hem från skolan, känner du en viss lukt, men den försvinner mycket fort, därför att du är så van vid den. Det är bra för dem som måste arbeta där det luktar illa – efter en kort stund känner de inte stanken.

En parfym-expert kan känna igen nästan alla blommor på doften. Hur många klarar du?

Luktnerverna leder till hjärnans luktcentrum.

Luktsinnet tröttnar fort – efter en stund känns inte stanken. Tur för somliga!

70

Slickepinnen smakar sötast på tung-
spetsen. Andra sorters smak känns
bäst i andra delar av tungan.

Ditt sinne för SMAK hänger ihop med lukt-
sinnet. Om du kniper ihop näsan och hindrar den från
att känna lukt, har du svårt att känna smak av det du
äter. Om du har snuva och är täppt i näsan, smakar
maten inte lika starkt, eftersom du inte känner lukten
av den.

Men det finns fyra slags smak som inte är beroende
av lukten: smaken av sött, salt, surt och beskt. De här
sorternas smak uppfattar du med smaklökar i olika
delar av tungan. Smaklökarna är knippen av smak-
nerver som går från tungan till smakcentrum i hjärnan.
De flesta smaklökar, som känner igen sött, sitter i tung-
spetsen. Smaklökarna i bakre delen av tungan är käns-
liga för allt som smakar beskt. På sidorna av tungan
sitter smaklökarna för salt och surt, salt i främre delen
och surt längre bak. Det här kan du pröva själv. Lägg
lite socker på tungspetsen. Det smakar sött. Lägg lite
socker längre bak på tungan – det smakar inte alls så
sött. Spott (eller saliv) betyder mycket för smaken –
det måste blandas med matens smakämnen och föra
dem till smaklökarna. Temperaturen på maten är också
viktig. Maten smakar mera om den inte är vare sig för
varm eller för kall.

Det här är de fyra grund-smakerna –
du behöver inte använda lukten för att känna igen dem.

apelsin-
skal

SOCKER

sött   surt   salt   beskt

Om du binder för
ögonen och
klämmer ihop
näsan, känner du
inte skillnad på ett
äpple och en rå
potatis.

71

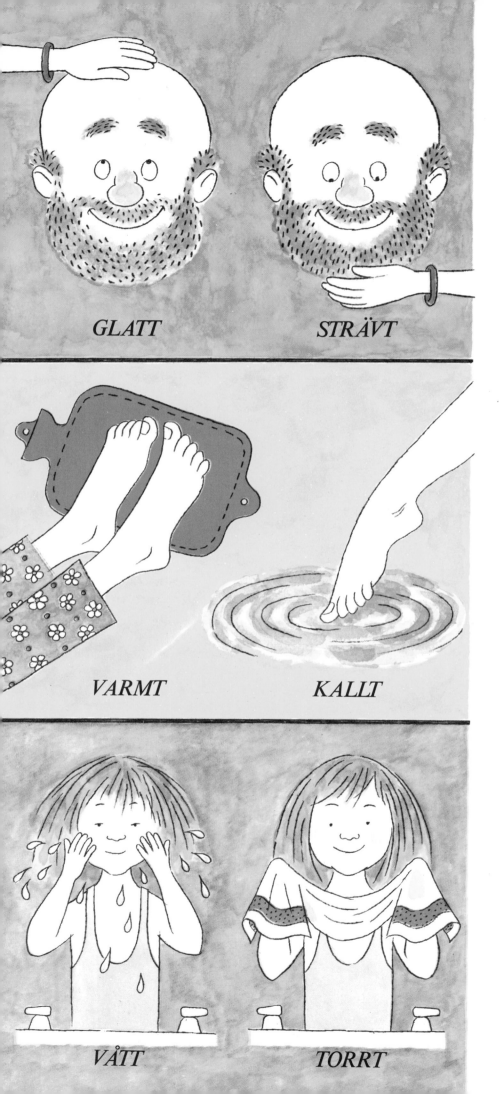

GLATT

STRÄVT

VARMT

KALLT

VÅTT

TORRT

KÄNSELN fungerar mest genom huden, fast det finns andra delar av kroppen, till exempel insidan av munnen, som också har känselsinne.

Huden kan urskilja många olika förnimmelser. Den känner att ett skägg är strävt och att ett glas är glatt. Den kan också tala om om något är varmt eller kallt, vått eller torrt. Och den känner naturligtvis om något gör ont.

Huden är full med nervceller med olika uppgifter. En del kan bara tala om hur något känns, andra känner bara om något är varmt, åter andra känner bara om något är kallt, och somliga meddelar bara om något gör ont. Det kan du lätt undersöka själv. Ta en blyertspenna och sätt spetsen på olika ställen på baksidan av handen med ungefär tre millimeters mellanrum. På en del ställen känner du bara pennspetsen, på andra känns den kall, och på några känner du att det gör lite lite ont.

Nervcellerna är inte jämnt fördelade i huden. På en del ställen finns bara några, på andra en mängd. I fingertopparna har vi massor. Det är därför vi använder fingertopparna när vi vill känna efter ordentligt. Blinda använder fingertopparna för att känna små upphöjningar på en boksida. Upphöjningarna återger olika bokstäver. Braille hette han som hittade på bokstavsskriften för blinda.

Hårbevuxna delar av huden har en särskild känslighet. Varje hårstrå växer upp ur en hårsäck i huden. Runt hårsäckarna slingrar sig nervspetsar. Om nånting snuddar lätt vid en hårbevuxen del av huden, rör sig håren. Nervspetsarna runt hårsäckarna uppfattar rörelsen, och du känner att det kittlar.

Ett annat sinne känner SMÄRTA. Det finns många olika slags smärtor. Ett brännsår, ett skärsår, ett getingstick eller ett blåmärke är smärtor som känns på utsidan av kroppen. Inuti kroppen känns magknip, huvudvärk eller tandvärk.

Vissa delar av kroppen är smärtkänsligare än andra. Det minsta lilla dammkorn i ögat, ett litet skärsår i fingret eller en spink i foten gör mycket ont. Och du känner precis *var* det gör ont.

Smärtor inuti kroppen är annorlunda. När du har magknip, känner du att det gör ont nånstans i magen, men du kan vanligen inte peka på en bestämd fläck och säga: "Här gör det ont." Ibland kan det vara ännu svårare att säga var det gör ont. Ont i hjärtat kan ofta kännas som ont i vänster arm, och ont i levern kan kännas som ont i höger axel.

Att du vet precis var det gör ont när smärtan sitter i ytan beror på att hela din hud är full av nervceller som är känsliga för smärta. Ett litet nålstick gör ont, och dina nervceller talar om precis var det gör ont. I de inre organen finns inga såna nervceller. Vi vet bara att det gör ont.

Till och med ett litet spädbarn som har svalt för mycket luft med mjölken, så att magen har svällt upp, känner att det gör ont. Det skriker, och mamman lyfter upp det, dunkar det lätt i ryggen så att det kan rapa och bli av med luften, och genast känner barnet sig bra igen. Smärta är alltså en mycket nyttig känsla. Den hjälpte spädbarnet, den säger åt dig att släppa en het kastrull innan du får brännsår, och den kan uppmana dig att gå till doktorn innan en sjukdom blir allvarlig.

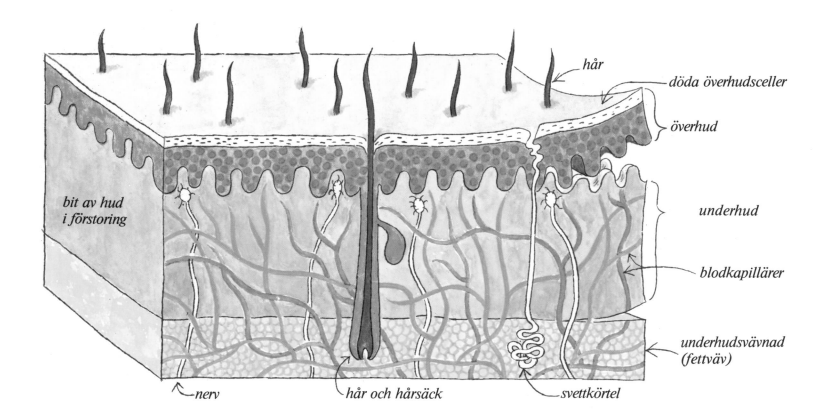

Labels on diagram:
- hår
- döda överhudsceller
- överhud
- underhud
- blodkapillärer
- underhudsvävnad (fettväv)
- bit av hud i förstoring
- nerv
- hår och hårsäck
- svettkörtel

HUDEN, det största organet i din kropp, är som en overall som täcker dig från huvud till fot. Den skyddar dig från smuts och bakterier och hjälper din kropp att hålla rätt temperatur.

Huden är inte lika tjock överallt. Så till exempel är den tunn på ögonlocken och tjock på fotsulorna. Men all hud har två lager.

Det tunna ytterlagret, överhuden, skyddar din kropp mot yttervärlden. Den utgörs av döda hudceller. Allteftersom de nöts av, ersätts de av andra celler underifrån. Det finns inga blodkärl i överhuden, så ett blödande sår måste ha gått tvärs igenom den. Hudfärgen finns i överhuden – det är den som blir solbränd för att skydda ljushyllta människor för solens brännande strålar.

Den tjockare underhuden däremot är full av blodkärl, nerver, hårsäckar och svettkörtlar. Blodkärlen bär näring till hudcellerna och hämtar avfall från dem.

Nerverna skickar upplysningar till hjärnan om de föremål du rör vid. Svettkörtlarna driver ut vätska ur kroppen som svett på utsidan av din hud. Där avdunstar det och svalkar din kropp. Den inre delen av underhuden, ett lager av fettceller, skyddar dig från kyla och är kroppens extra bränsleförråd.

När du blir förlägen, utvidgas blodkärlen i ansiktets och halsens hud och fylls med mera blod. Det gör att huden ser rödare ut – du rodnar. De nerver som styr rodnandet kan du inte behärska. Fast vetenskapsmännen vet *hur* vi rodnar, är ingen av dem säker på *varför* vi gör det eller varför somliga rodnar mer än andra.

Fingernaglar och tånaglar är ett särskilt slags hud, hård och genomskinlig. De har inga nerver, och därför gör det inte ont när du klipper dem – ifall du är försiktig och inte klipper sönder huden runt dem.

Nej, du får inte vårtor av paddor! Vårtor får du av ett virus.

Visste du att naglarna anses vara en del av huden?

Giftig murgröna kan ge besvärliga eksem. Rör inte vid den!

När svetten avdunstar, kyls kroppen av.

Ljus hud blir brun i solen. Det är för att skydda sig från att bli förbränd.

Fårorna på dina fingertoppar bildar ett mönster. Alla människor har olika mönster, till och med enäggstvillingar. Fingeravtryck hjälper polisen att ta reda på vem som har begått ett brott.

En människas fotavtryck är också olikt alla andras. På BB tar man avtryck av de nyföddas fötter – spädbarn är ofta så lika varann att det kan vara svårt att skilja på dem annars.

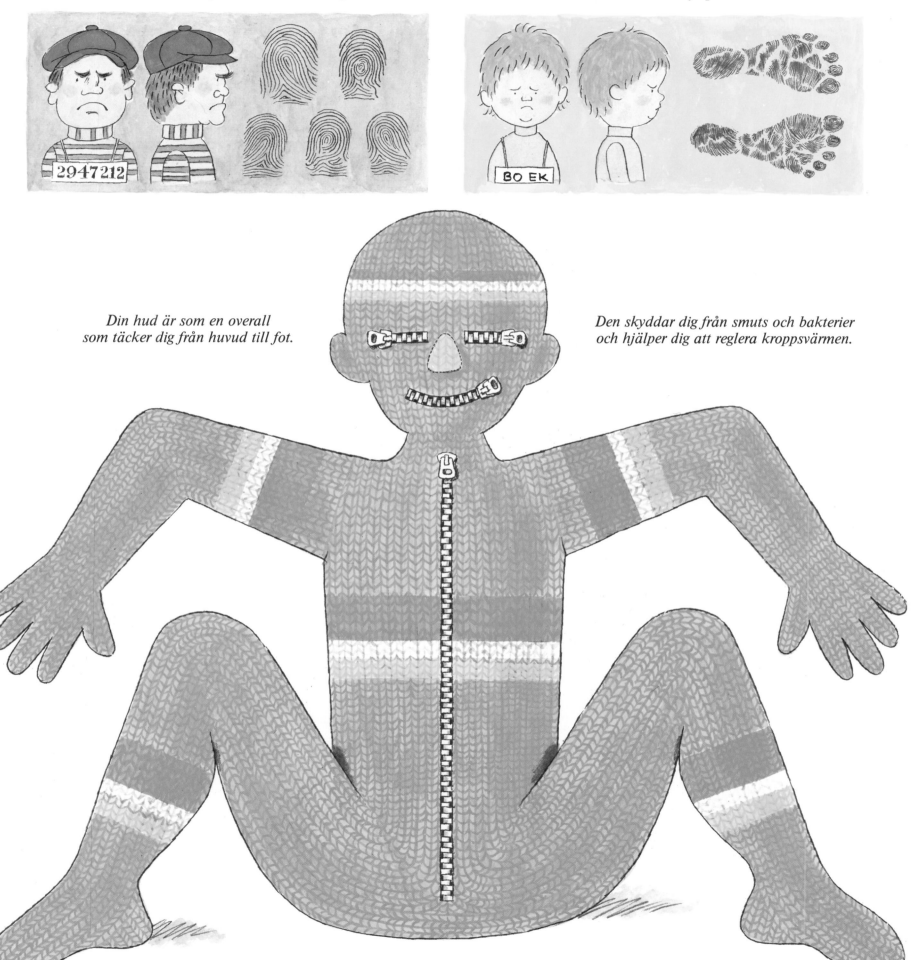

Din hud är som en overall som täcker dig från huvud till fot.

Den skyddar dig från smuts och bakterier och hjälper dig att reglera kroppsvärmen.

Inte två människor har exakt samma HUD-FÄRG. Och ingen är helt svart, helt vit, helt röd eller helt gul. Vi skiftar i alla slags nyanser av brunt, gult och skärt. En indian är egentligen inte alls röd utan snarare ljust rödbrun. En "vit" är i grund och botten mer eller mindre skär. En neger är faktiskt inte svart utan ljusare eller mörkare brun. Och gul hud varierar mellan gult och brunt.

Hudfärgen bestäms av vissa kemiska ämnen i huden. De kallas melanin och karotin och är pigment, det vill säga färgämnen. De sitter i överhuden. Mela-

ninet ger huden brunsvarta nyanser, och karotinet ger den gulaktiga skiftningar. Skär hudfärg kommer av alla små blodkärl under överhuden.

Alla människor har pigment utom albinos – människor som saknar pigment i hud, hår och ögon. Men blodkärlen lyser igenom, och därför är albinos' hud svagt skär, deras hår vitt och deras ögon ljusskära.

Vår hudfärg ärver vi av våra föräldrar och andra förfäder. Att människor har utvecklat olika hudfärg beror förmodligen på att de ursprungligen levde i olika klimat. Melaninet skyddar huden från att bli svedd av

Klimatet växlar i olika delar av världen. Människornas hudfärg har anpassats efter det klimat som råder där de bor.

76

solen, så i mycket heta länder som till exempel Afrika och Sydamerika hade människorna mycket melanin i huden, vilket gjorde dem mörkhyade. Människor som bodde i länder där solen inte sken så starkt hade mindre melanin och fick blekare, skäraktigare hud. I våra dagar är det så lätt att ta sig runt i världen att folk med alla slags hudfärger bor tillsammans i alla delar av världen.

Människans hud skiftar inte i alla de färger, bara i olika nyanser av skärt, gulaktigt och mörkbrunt.

Två kemiska ämnen, melanin och karotin, ger huden dess färg.

Numera har folk flyttat omkring så mycket att människor med olika hudfärg bor tillsammans över hela världen.

77

Genom ett mikroskop kan du se att:

Rakt hår växer ur runda hårsäckar och varje hårstrå är runt.

hårsäck

Vågigt hår växer ur ovala hårsäckar och varje hårstrå är ovalt.

Mycket lockigt hår växer ur platta hårsäckar och varje hårstrå är platt.

Det mesta av ditt HÅR växer förstås uppe på huvudet, och lite hår finns i ögonbryn och ögonfransar. Men du har faktiskt hår över nästan hela kroppen eller åtminstone fjun, så små att de knappast syns. I fjortonårsåldern får många mera hår på kroppen men aldrig över hela.

Det glesa hår du har på kroppen ger dig inte mycket skydd. I det avseendet har djuren det mycket bättre. En isbjörn till exempel klarar sig fint i polarkölden tack vare sin tjocka päls. Men lite hjälp har du ändå av ditt hår: det skyddar huvudet mot solgass om sommaren och håller det varmare om vintern. Det är som ett slags naturlig hatt. Och ögonfransarna skyddar ögonen för damm, och håren i näsan hindrar damm från att följa med ner i lungorna.

På ditt huvud växer tusentals hårstrån. Varje hårstrå har ett skaft – det är den delen vi ser – och en rot nere

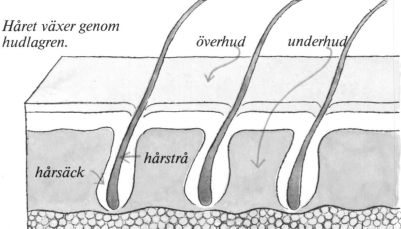

Håret växer genom hudlagren.

överhud   underhud

hårstrå

hårsäck

i hårbottnen. Roten sitter i en hårsäck och får sin näring genom små blodkärl i hårsäckens väggar.

Hår växer utåt från roten. Det är därför ditt hår fortsätter att växa när du har klippt dig. Nya celler bildas hela tiden i roten. När ett nytt hårstrå börjar växa, tränger skaftet upp genom hårsäcken och sticker fram över hårbottnens yta, och sen fortsätter det att växa tills det har nått sin fulla längd. Då faller det av, och ett nytt hårstrå börjar växa i dess ställe.

Varje människas hår har sin egen bestämda maximilängd, det vill säga hennes hårstrån kan nå en viss längd men inte mer. Hår växer knappt en och en halv centimeter i månaden eller drygt en och en halv decimeter per år. Så att om maximilängden för *ditt* hår är tre decimeter, tar det bortåt två år för vart och ett av dina hårstrån att bli fullt utvuxet. Sen faller det av. Hårstråna börjar inte växa på en gång. Därför har du

Det är pigmenten i dina hårceller som bestämmer färgen på ditt hår.

alltid fullt upp med hår, fast gamla strån faller av och nya växer ut i deras ställe. (När män blir skalliga, faller de gamla hårstråna av, men av någon anledning kommer det inga nya ur hårsäckarna.) En del människors hår blir aldrig mer än tre decimeter långt, medan andra kan få håret att växa ända ner till knäna.

Somliga människor har rakt hår, andra har vågigt, och några har krusigt. Hårfärgen växlar också, från vitt till mörkaste brun-svart. Orsaken till att en är ljushårig, en annan rödhårig och en tredje svarthårig är att deras hår innehåller olika mängd brun-svart melanin, samma

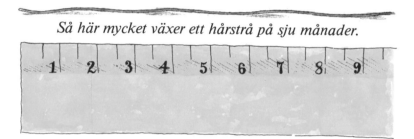

Så här mycket växer ett hårstrå på sju månader.

färgpigment som finns i huden. Ju mer melanin ditt hår har, desto mörkare är det. Hårfärg ärver vi av våra föräldrar och deras föräldrar. En del människor byter hårfärg genom att färga håret, men förändringen varar bara en tid. När nya hårstrån växer ut, får håret tillbaka sin naturliga färg. De flesta människor blir gråsprängda och så småningom vithåriga när de blir gamla. Det beror på att de nya hårstråna inte längre får melanin när de utvecklas i hårsäcken.

En del människor med rakt hår försöker göra det lockigt...

... och andra med vågigt hår försöker göra det rakt.

Hår är mycket starkt. Ett enda hårstrå kan bära ända upp till 85 grams vikt.

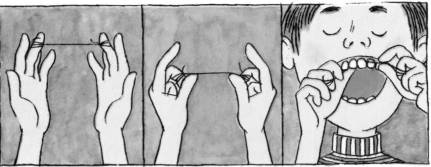

När du har ätit godis, stannar rester kvar på tänderna. Använd tandtråd och tandborste för att ta bort beläggningen.

Sno tandtråden om långfingrarna.

Fatta om tråden med tummar och pekfingrar.

Dra tråden av och an mot tanden.

TANDVÅRD börjar med barnets första tand. I två-tre-årsåldern, när alla mjölktänderna har vuxit ut, måste barnet borsta tänderna regelbundet. Det är också dags för det första besöket hos tandläkaren.

När du kommer till tandläkaren, börjar han vanligen med att göra dina tänder ordentligt rena – det är bra både för tänderna och för tandköttet. Sen undersöker han tänderna noga för att ta reda på om du har några hål. Ett hål börjar med att en klibbig, färglös beläggning bildas på tänderna av den mat du äter. Bakterier fastnar i beläggningen, och då börjar den jäsa och bilda en syra. Syran fräter hål på det hårda emalj-skal som skyddar tanden. Syran fortsätter att fräta sig in i tanden, och så har du ett hål. Tandläkaren lagar hålet genom att borra bort allt skadat tandmaterial med en liten elektrisk borr och sen fylla igen hålet. Om du regelbundet går till tandläkaren, kan han hitta och laga alla hål innan de blir för stora och går ända in till nerven inne i tanden.

Fråga din tandläkare hur du ska borsta tänderna. Det här är ett sätt som är bra:

Var noga med att ta bort beläggningen på dina tänder. Inte nog med att den kan förorsaka hål: får den lägga sig i lager på lager förvandlas den till tandsten, så hård att bara tandläkaren kan skrapa bort den. Mycket tandsten kan vålla sjukdomar i tandköttet och tandlossning.

För att kunna ta bort beläggningen måste du ju se var den sitter (eftersom den är färglös, syns den inte). Det finns tabletter att tugga eller en lösning att skölja tänderna med som färgar beläggningen röd. När det är gjort, river du av en bit tandtråd, ungefär 45 centimeter lång. Sno ändarna runt långfingrarna. För *försiktigt* in tråden mellan två tänder, använd tummar och pekfingrar att styra tråden med. Håll tråden tätt in till tanden och dra av och an, liksom såga. Låt den glida ända ner till tandköttet. Gör sen likadant med tanden bredvid. Var särskilt noga med de rödfärgade ställena.

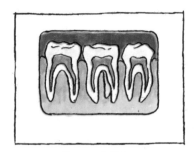

röntgenbild av tänder och tandkött

Borsta sen tänderna med en mjuk tandborste och tandkräm. Sätt borsten mot tänderna med spetsarna snett uppåt (eller neråt) mot tandköttskanten. Borsta av och an med små tag. Borsta alla ytor på varenda tand. Skölj med vatten.

Borsta tänderna efter varje måltid, och låt bli att äta för mycket godis. Godis ger stark beläggning på tänderna och förorsakar lätt hål. Knaprig mat som till exempel råa morötter är bra för dig, för dina tänder och för ditt tandkött.

Det här är ett bra sätt att borsta bort beläggning och matrester:

Sätt tandborsten snett uppåt mot tandköttet.

Borsta av och an med små tag.

Borsta både insidan och utsidan.

Borsta insidan av framtänderna med tandborst-spetsen.

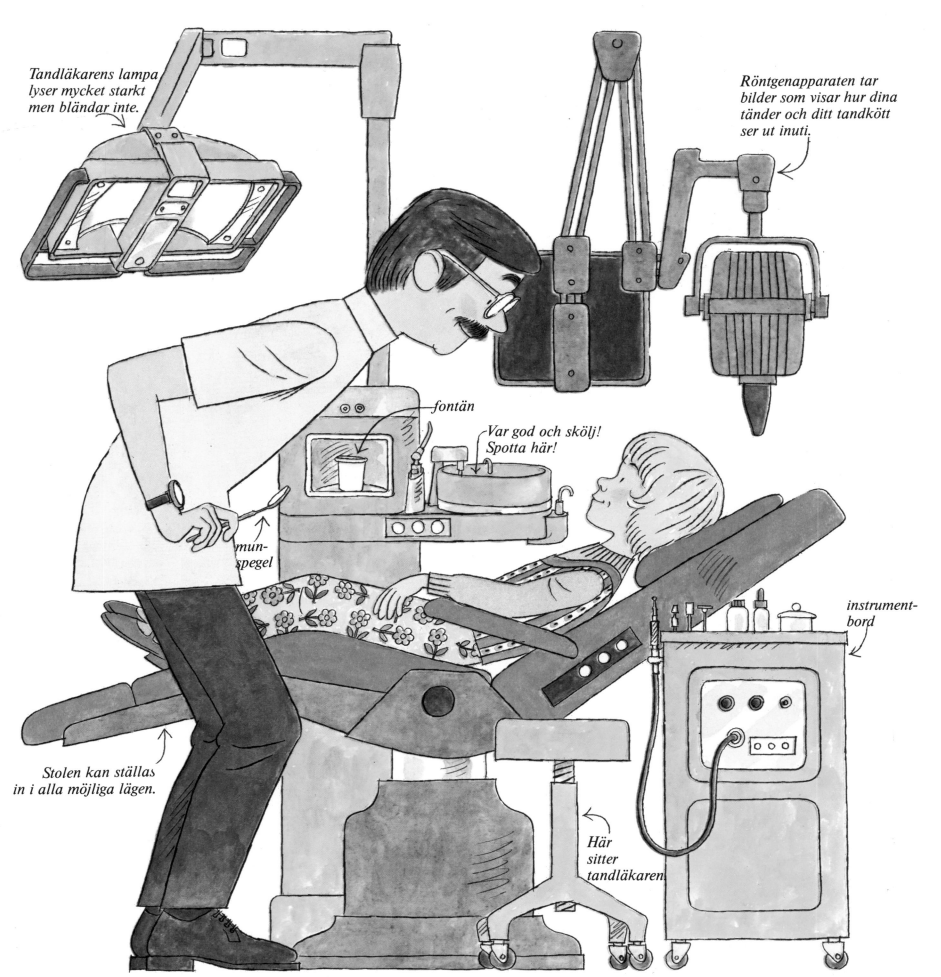

På en modern tandläkarmottagning finns en mängd apparater för undersökning och behandling av tänder och tandkött.

81

Det är viktigt **ATT HÅLLA SIG REN.**
Det hjälper en att bli av med bakterier som kan vålla infektioner. En del bakterier tränger in i kroppen genom sår i huden. Andra kan sitta på otvättade händer: när du tar i maten, förs bakterierna över till den, och så sväljer du dem. Att du blir smutsig om händerna och andra delar av kroppen i ditt dagliga liv är ju klart. Medan du leker ute och inne tar du i alla möjliga saker. På några sitter säkert bakterier. När du springer omkring och leker, blir du kanske svettig. Damm och smuts fastnar i svetten. Bakterierna trivs på fuktig och smutsig hud, de växer till och blir fler. Många sjukdomar i huden och resten av kroppen kan ha vållats av bakterier utanpå huden. Förkylningar kan spridas på det viset: du råkar få förkylningsbakterier på händerna, och om du sen rör vid insidan av näsan till exempel, flyttar du över förkylningen till dig själv.

Att hålla sig ren betyder att man tvättar händer och ansikte innan man äter och att man badar eller duschar och tvättar håret regelbundet. Det betyder också att man petar naglarna och har rena kläder.

För hundra år sen visade Florence Nightingale, en berömd krigs-sjuksköterska från England, hur viktigt det är att hålla sig ren. Hon kom på att man skulle använda tvål och vatten och rena lakan i sjuktälten, och tack vare det lyckades hon rädda livet på många sårade soldater – deras sår blev inte infekterade. Sträng hygien är numera regel på alla sjukhus och andra ställen, där det finns sjuka människor och många farliga bakterier.

Hår och hårbotten måste tvättas ofta.

Naglar och tånaglar måste petas och klippas.

Öron måste göras rena – peta försiktigt!

I olika delar av världen har människorna hittat på olika sätt att hålla sig rena.
Här är några av dem, en del från gamla tider:

Så här badades barnen i Holland
förr i världen.

Sådana här badkar använde egyptierna för
3000 år sen. Ser ganska moderna ut!

fransk dusch
för 100 år sen

ångskåp –
en skön avkoppling

"ångtält",
ett indianskt
sätt att bada

Det här kallades
sittbadkar. Det behövdes
inte mycket vatten.

japanskt familjebad

Häll vatten på
upphettade stenar, och
du får en sauna (finsk bastu).
Du blir renare än i ett bad!

83

Reptiler, fiskar och amfibier (djur som kan leva både på land och i vatten) är kallblodiga. Deras kroppstemperatur är densamma som omgivningens.

Däggdjur (däribland människan) och fåglar är varmblodiga. Deras kroppstemperatur växlar inte med vädret.

KROPPSTEMPERATUREN

hos friska människor håller sig omkring 37 grader Celsius. Den kan växla något under dagen men bara ett par streck.

Vi skapar värme i våra kroppar genom att våra muskler och organ arbetar och genom att våra celler förbränner näring. Vår temperatur påverkas av två saker: hur mycket värme kroppen alstrar och vilken temperatur som råder omkring oss. Om kroppen blir för kall, kan den flera knep för att värma upp sig. Blir den för varm, har den flera sätt att svalka sig.

Om det är mycket kallt, avger kroppen en stor mängd av sin värme till omgivningen. För att hindra kroppen från att bli för kall drar blodkärlen under överhuden automatiskt ihop sig. På så sätt stannar största delen av det varma blodet djupt inne i kroppen och kommer inte ut till huden, där det skulle förlora sin värme till den kallare luften. En annan sak som händer om kroppen börjar bli för kall är att musklerna börjar darra – du huttrar. Det är musklernas sätt att försöka skapa mer värme åt kroppen.

Om det är mycket varmt, måste kroppen försöka göra sig av med en del av sin värme för att inte bli överhettad. Blodkärlen under överhuden vidgar sig, så att mer blod rinner till kroppens yta och ger ifrån sig värme. Ett annat sätt för kroppen är att svettas. Svettkörtlarna driver svetten, som mest består av vatten, ur kroppen och pressar ut den genom små fina hål

Kroppstemperaturen ändras inte mycket, inte ens om det är 40 grader varmt . . .

← termometer (i många länder används mun-tempar)

. . . eller 20 grader kallt!

84

När vi blir varma, svettas vi. När svetten avdunstar, kyls huden av. Då svalkas också resten av kroppen.

En hund kan inte svettas – han har nästan inga svettkörtlar. För att svalka sig flåsar han, och då avdunstar vatten från tungan.

i överhuden, porerna. När svetten avdunstar i luften tar den med sig värme från kroppens yttre vävnader.

När det är både hett och fuktigt, känner vi oss mycket olustiga. Det har två orsaker. Dels är kanske temperaturen i luften nästan densamma som i vår kropp, och det betyder att luften inte tar mycket värme från blodet. Och dels är luften kanske så fuktig att den inte kan ta upp mera fuktighet, och då avdunstar inte mycket svett. När ingen av våra avkylningsmekanismer fungerar, är det ju inte underligt att vi känner oss varma och klibbiga.

Vi kan förstås hjälpa till att reglera kroppstemperaturen genom att sätta på oss lämpliga kläder. Vårt upp-värmningssystem är inte så bra att vi klarar oss i sträng kyla utan varma kläder. Och vårt avkylningssystem skulle ha svårt att funka om vi gick omkring i tjocka, varma kläder en stekhet dag.

Andra varmblodiga varelser kan reglera sin kropps-temperatur själva precis som människorna. Men kall-blodiga djur, som till exempel ormar, grodor, sköld-paddor och ödlor, är helt beroende av sin omgivning. Om en orm skulle stanna kvar i solgasset, skulle dess kropp bli hetare och hetare. För att hålla sig kall måste den krypa ner i jorden eller in i skuggan. Om den drivs ut därifrån, slingrar den så fort den kan till en annan skuggig plats – den skulle dö av hetta annars.

hudyta

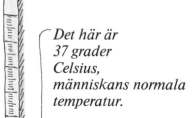

Det här är 37 grader Celsius, människans normala temperatur.

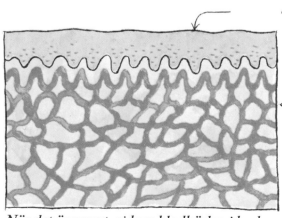

blod-kärl

När det är varmt, vidgas blodkärlen i huden. Mera blod tränger fram till ytan och avger sin värme till luften.

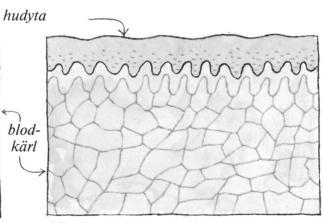

När det är kallt, drar blodkärlen ihop sig. Mindre blod kommer åt att avge sin värme, och så bibehålls kroppsvärmen.

85

SJUKDOM betyder att någon del av din kropp inte funkar som den ska. Den har utsatts för ett angrepp. Vanligen är det skadliga bakterier eller virusbaciller som vållar besvären. Om du har en stark kropp, har du stora möjligheter att slå tillbaka anfallet, men om du har misskött din kropp, till exempel inte ätit sådan mat som är bra för dig eller inte fått tillräckligt med sömn, blir du lättare sjuk. Här är några av våra vanligaste sjukdomar:

FÖRKYLNING

förorsakas av ett virus, så litet att det bara syns i våra starkaste elektronmikroskop. Detta virus infekterar väggarna i näsgångarna och sprids lätt från människa till människa genom nysningar och hostningar. Om man är mycket trött, tycks man ha svårare att få bukt med en förkylning. När förkylningen har satt sig fast i näsgångarna, sprids den ofta till luftrören. Förkylningen kommer de små blodkärlen i näsan att svullna, slem sipprar ut, och du blir täppt i näsan och får svårt att andas. Du hostar och har kanske feber. Mycket obehagligt. Men lyckligtvis är det inte farligt. De flesta förkylningar går över på en vecka eller så. Det är bra att vila mycket och dricka mycket.

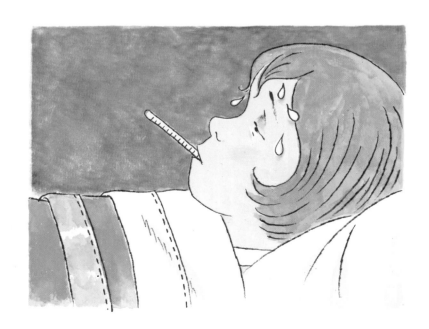

FEBER

betyder att kroppstemperaturen är högre än normalt, över 37 grader Celsius. (Den normala temperaturen kan växla under dagen – vanligen är den högst på eftermiddagen och lägst på morgonen.) Feber är inte en sjukdom, men den betyder att kroppen håller på att kämpa mot en infektion av något slag och strävar att bli frisk igen. När hjärnan får bud om att skadliga bakterier har kommit in i kroppen, skickar den ut order att svettkörtlarna ska stängas och blodkärlen i huden dras ihop. Då stiger kroppstemperaturen, och värmen dödar många slags bakterier. Mera blod hålls kvar inne i kroppen, där de vita blodkropparna kan bekämpa infektionen. Det är klokt att tala med en läkare om man har feber; han kan ge medicin, som hjälper till att ta kål på infektionen.

ÖRSPRÅNG kan bero på flera olika saker.

Om värken sitter i ytterörat, kan den ha vållats av för mycket örvax eller av att något har kommit in i hörselgången. Men oftast förorsakas örsprång av en infektion i mellanörat. Mellanörat står i förbindelse med bakre delen av luftstrupen genom ett rör, örontrumpeten. Det hjälper till att hålla samma lufttryck i mellanörat som i luften omkring oss. Men ibland kan en skadlig bakterie ta sig upp genom röret från strupen till mellanörat och vålla en infektion. Den kan till exempel pressas upp genom röret om du är förkyld och fräser för häftigt. Så fort man får ont i öronen bör man kontakta en läkare – öroninfektioner kan bli allvarliga.

UTSLAG kan man få av många olika anledningar.

Det betyder att huden har blivit retad på något vis. En del människor får lätt utslag, andra får det aldrig. Somliga människor har hudallergier. Vanligen är de allergiska mot något eller några slag av mat. En del människors hud reagerar våldsamt när de har ätit jordgubbar, andra tål inte fisk eller nötter eller choklad. Några är allergiska mot vissa tyger – ofta kan de inte ha kläder av ylle. Växter kan också ge utslag – de flesta människor får utslag om de rör vid giftig murgröna. Utslag kan också vara symtom på en sjukdom, mässling till exempel. Läkaren måste avgöra vad som har orsakat utslagen, innan en lämplig behandling kan sättas in.

TANDVÄRK får du troligen inte om du

går regelbundet till tandläkaren. Oftast får man tandvärk, när en tand är så förstörd att pulpan inne i tanden har infekterats. Om du går regelbundet till tandläkaren, kan hålen upptäckas i tid och lagas långt innan de har blivit så djupa att de går in till pulpan där nerven sitter. Ju större och djupare hålen är, desto ondare gör det. Första varningen att du har hål i en tand är ofta att det ilar i tanden när du äter något varmt, kallt eller mycket sött. Man kan förstås också bryta av en tand, så att pulpan blottas – då får man också tandvärk. En tandläkare måste behandla tanden så snabbt som möjligt för att hindra att den blir infekterad.

*Du vässar en penna –
aj, kniven slant!*

*Du har fått ett skärsår –
skadliga bakterier tränger in
i såret.*

*Huden blir röd omkring såret.
Fingret svullnar – det värker.*

*Din kropp har bekämpat
infektionen – såret läks.*

Ett sår börjar LÄKAS så snart kroppen har besegrat de inkräktande bakterierna.

Huden är kroppens harnesk mot skadliga bakterier. Men om huden skadas av något som det sitter bakterier på, kan det bli en infektion. En infektion kan också vållas av att bakterier tränger in i såret från nånting i omgivningen. Då uppbådar kroppen sina inre skydds-styrkor för att döda inkräktarna.

Området runt det infekterade såret blir rött, det svullnar och värker. Det blir *rött* därför att blodkärlen i området utvidgar sig så att mera blod kan rinna till, det *svullnar* därför att det läcker ut vätska från de utvidgade blodkärlen, och det *värker* därför att de skadade vävnaderna avger vissa kemiska ämnen som retar nervspetsarna, så att du känner smärta (annars skulle du kanske inte märka att du hade gjort dig illa).

Den kraftigare blodtillströmningen för med sig en armé av vita blodkroppar till det infekterade området. De vita blodkropparna tränger ut ur blodkärlen och in i den infekterade vävnaden, och så är striden i full gång. Det första de vita blodkropparna gör är att omringa de fientliga bakterierna och hindra dem från att sprida sig ytterligare – en del av de vita blodkropparna bildar en mur runt bakterierna. Innanför muren går andra vita blodkroppar till anfall mot de inspärrade bakterierna. Ibland kan en del av bakterierna föras till lymfkörtlarna för att förgöras där. Hela tiden förökar bakterierna sig, så striden blir hård och många vita blodkroppar dör innan slaget är vunnet. Deras och bakteriernas döda kroppar samlas ihop i det infekterade området och blir till var, som så småningom torkar bort. Slaget är över, och såret läks.

*Skadliga bakterier har trängt in i
såret och blir fler och fler.*

*De vita blodkropparna skyndar till undsättning.
De omringar bakterierna och dödar dem.*

*infekterat finger
(förstorat)*

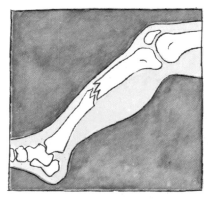

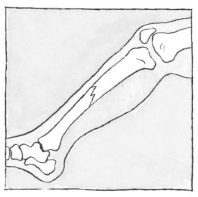

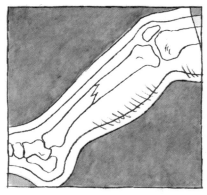

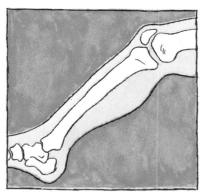

Du har ramlat och brutit skenbenet.

Doktorn passar noga ihop benändarna.

Han gipsar benet för att inte benändarna ska glida isär.

När benet har växt ihop, tas gipset av.

För att brutna ben ska LÄKAS måste bitarna passas ihop och hållas kvar i läge, tills de har vuxit ihop. Om det inte görs, växer benet kanske ihop fel. Det kan bli krokigt, för långt eller för kort eller för svagt.

En röntgenbild (fotografi av insidan av kroppen) visar läkaren hur benet är brutet. Efter att ha passat ihop bitarna och övertygat sig om att benet är rakt lägger läkaren vanligen ett gipsförband för att hålla bitarna i läge, tills benet är läkt. Ett gipsförband består av gasbindor med gips i. Läkaren blöter gasbindorna och lindar dem varv på varv runt den brutna armen eller det brutna benet (gipsförband används mest för armar och ben). Gipsförbandet torkar snabbt och blir hårt och hindrar benbitarna från att rubbas ur sitt läge. Ibland kan läkaren inte använda gipsförband. Du skul-

le inte kunna andas om du hade ett hårt gipsförband runt bröstet för att hålla ett brutet revben på plats. Ett brutet finger spjälas för det mesta, det vill säga en skiva av plast eller metall tejpas fast vid fingret så att det inte kan böjas.

När doktorn har gjort sitt och det brutna benet är ordentligt förbundet, tar naturen vid och läkningen börjar. Först levras blodet från de skadade blodkärlen kring brottet, så att inte ännu mer blod rinner ut. Blodkärl runt omkring de skadade övertar deras jobb tills de har läkts. Och så sätter benbitarna i gång med att bilda nya benceller i brottytorna. De nya cellerna växer ut mot varann, och så snart de får kontakt växer de ihop. Så fortsätter det tills det finns mer benmaterial på det stället än före brottet.

Unga ben läks fort ... snart kan gipset tas bort.

FORSKNINGEN när det gäller människokroppen går långt tillbaka i tiden. För mycket länge sen trodde man att sjukdomar vållades av onda andar. Primitiva folk försökte skrämma bort andarna med masker och danser. Men så småningom började man söka efter naturliga orsaker till sjukdom. Blad och bark av vissa trädslag användes tidigt som medicin. I Egypten, Grekland och Rom fanns många läkare. Romarna visste hur viktigt det är att hålla sig ren och använda rent dricksvatten. De byggde offentliga bad och anlade vattenledningar. Sen följde en lång tid, tusen år, då man inte gjorde särskilt många nya upptäckter om kroppen i hälsa och sjukdom. När pesten kom och miljoner människor dog, stod läkarna hjälplösa. Men

Hippokrates, som föddes 460 före Kristus, kallas "läkarvetenskapens fader". Än i dag avlägger läkare den hippokratiska läkareden.

1822 studerade doktor William Beaumont matsmältningen genom att iaktta en patients mage genom ett oläkt sår.

1854 skapade Florence Nightingale den moderna sjukvården. Genom renlighet och vänlighet räddade hon livet på många sårade soldater.

Antony van Leeuwenhoek var den förste som såg levande celler. Det var 1683, och han använde ett hemmagjort mikroskop.

1543 gav Vesalius ut den första fullständiga beskrivningen av människans anatomi.

Doktor Charles Drew, född 1904, kom på hur blod skulle bevaras och grundade den första blodbanken.

Sigmund Freud, född 1856, var den förste som använde psykoanalys. Han skrev en bok om drömtydning.

så, 1543, gav Vesalius ut den första bok som beskrev människokroppen. 1628 visade Harvey att hjärtat pumpar blodet genom kroppen i ett ständigt cirkulerande ström. Leeuwenhoek upptäckte bakterier i sitt mikroskop, men det skulle gå 170 år innan Pasteur och andra lyckades bevisa att bakterier orsakar sjukdom och att man kan döda bakterier genom sterilisering. Det gjorde operationer mindre farliga. Röntgen upptäckte röntgenstrålarna, tack vare vilka läkarna kan studera kroppens inre. Förträffliga mediciner framställdes. I våra dagar gör forskarna ideligen nya och spännande upptäckter om vår kropp, hur den funkar och hur sjukdomar kan botas.

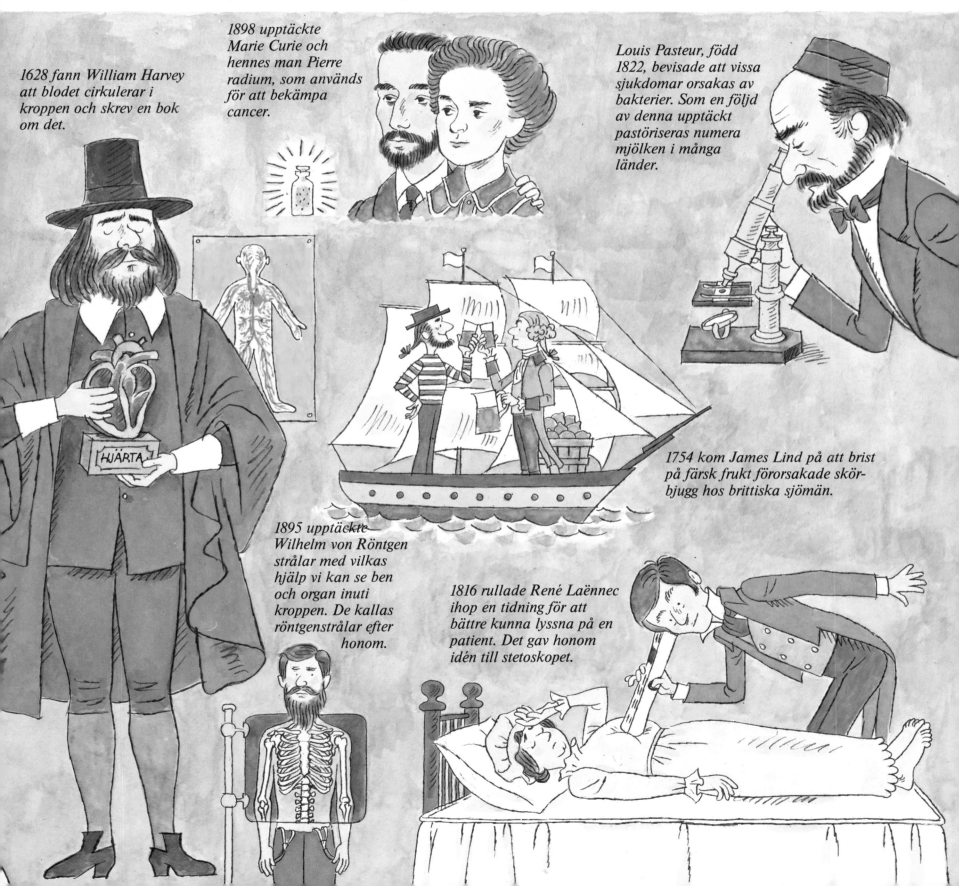

1628 fann William Harvey att blodet cirkulerar i kroppen och skrev en bok om det.

1898 upptäckte Marie Curie och hennes man Pierre radium, som används för att bekämpa cancer.

Louis Pasteur, född 1822, bevisade att vissa sjukdomar orsakas av bakterier. Som en följd av denna upptäckt pastöriseras numera mjölken i många länder.

HJÄRTA

1754 kom James Lind på att brist på färsk frukt förorsakade skörbjugg hos brittiska sjömän.

1895 upptäckte Wilhelm von Röntgen strålar med vilkas hjälp vi kan se ben och organ inuti kroppen. De kallas röntgenstrålar efter honom.

1816 rullade René Laënnec ihop en tidning för att bättre kunna lyssna på en patient. Det gav honom idén till stetoskopet.

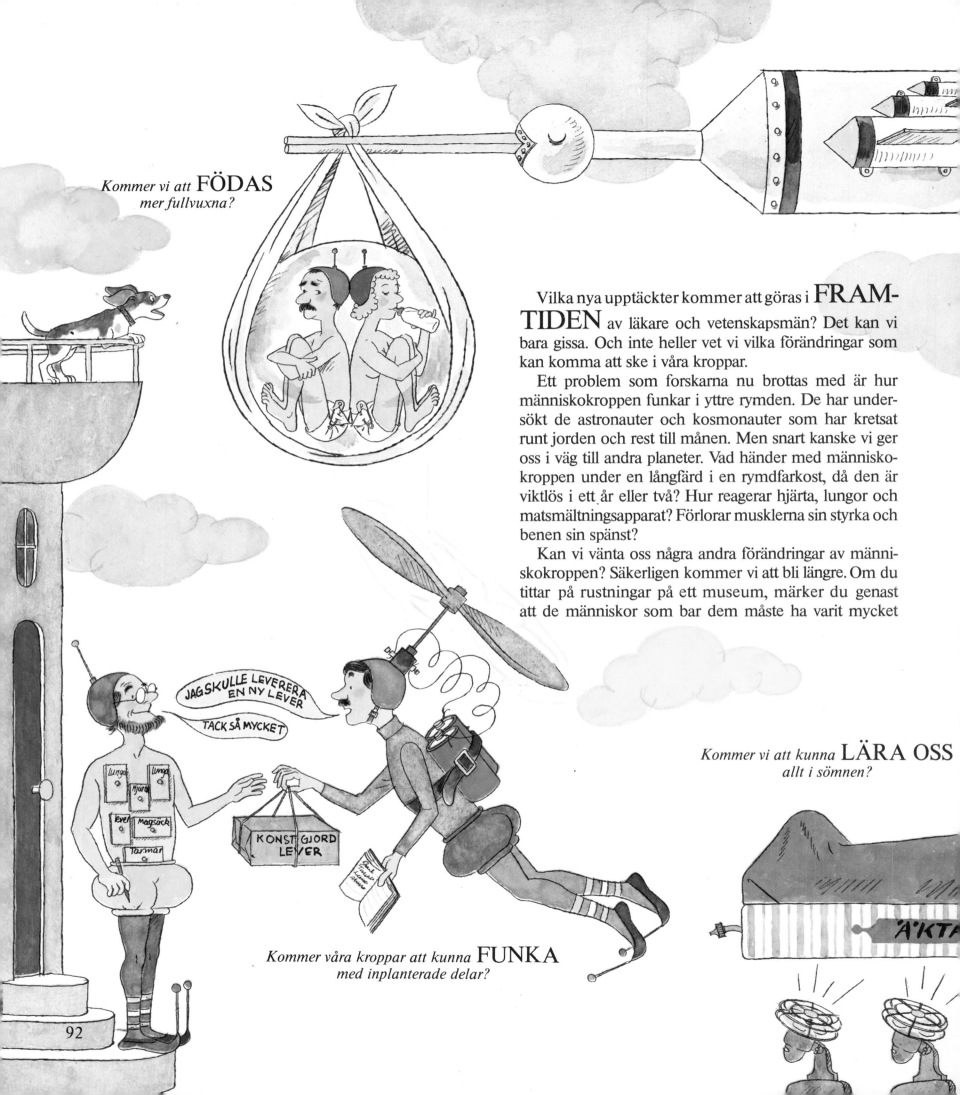

Kommer vi att FÖDAS
mer fullvuxna?

Vilka nya upptäckter kommer att göras i FRAM-
TIDEN av läkare och vetenskapsmän? Det kan vi
bara gissa. Och inte heller vet vi vilka förändringar som
kan komma att ske i våra kroppar.

Ett problem som forskarna nu brottas med är hur
människokroppen funkar i yttre rymden. De har under-
sökt de astronauter och kosmonauter som har kretsat
runt jorden och rest till månen. Men snart kanske vi ger
oss i väg till andra planeter. Vad händer med människo-
kroppen under en långfärd i en rymdfarkost, då den är
viktlös i ett år eller två? Hur reagerar hjärta, lungor och
matsmältningsapparat? Förlorar musklerna sin styrka och
benen sin spänst?

Kan vi vänta oss några andra förändringar av männi-
skokroppen? Säkerligen kommer vi att bli längre. Om du
tittar på rustningar på ett museum, märker du genast
att de människor som bar dem måste ha varit mycket

JAG SKULLE LEVERERA
EN NY LEVER

TACK SÅ MYCKET

KONST GJORD
LEVER

Kommer vi att kunna LÄRA OSS
allt i sömnen?

Kommer våra kroppar att kunna FUNKA
med inplanterade delar?

ÄKTA

92

Kommer vi att bli
LÄNGRE *och* LÄNGRE
med varje generation?

mindre till växten än folk i våra dagar. I framtiden blir kanske de flesta människor över två meter långa – basketspelare rentav två och en halv!

Kommer vi att kunna göra konstgjorda hjärtan, konstgjorda njurar och så vidare för att ersätta utslitna eller skadade? På det här området bedrivs redan nu en intensiv forskning.

Men även om vi ännu inte kan byta ut alla skadade kroppsdelar mot konstgjorda, så tycks vi leva längre och längre. I framtiden blir det kanske inte alls ovanligt med 150-åringar. Då skulle en baby kunna ha en pappa på 25 år, en farfar på 50, en farfarsfar på 75, en farfarsfarfar på 100, en farfarsfarfarsfar på 125 och en farfarsfarfarsfarfar på 150 (och likadant på mammans sida förstås)!

En framtida bok om människokroppen blir nog inte alls lik den här.

Varför **SVETTAS** *du
när du blir för varm?*
(Se sid. 74)

Varför **DARRAR** *du
när du blir för kall?*
(Se sid. 84)

Varför **RODNAR** *du
när du bli generad?*
(Se sid. 74)